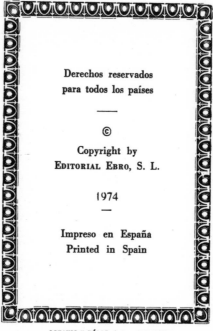
OCTAVIO Y FÉLEZ, S. L. - ZARAGOZA

I.S.B.N. 84-7064-029-1

Depósito legal: Z. 100-74

BIBLIOTECA CLASICA EBRO

TIRSO DE MOLINA

EL BURLADOR
DE
SEVILLA

FRAY GABRIEL TÉLLEZ
~TIRSO DE MOLINA~

F. Ramos

BIBLIOTECA CLASICA EBRO

CLASICOS ESPAÑOLES

TIRSO DE MOLINA

EL BURLADOR
DE SEVILLA

Edición, prólogo y notas

del

Dr. ALFREDO RODRIGUEZ

Profesor de Rutgers. The State University

CUARTA EDICIÓN, ILUSTRADA

EDITORIAL EBRO, S. L.

FUNDADA EN 1938 POR D. TEODORO DE MIGUEL

ZARAGOZA - MADRID - BARCELONA - BUENOS AIRES

RESUMEN CRONOLOGICO DE LA VIDA

DE TIRSO DE MOLINA (1584?-1648)

1584?.—Nace en Madrid Gabriel Téllez. No se sabe cúyo hijo era. Doña Blanca de los Ríos pretendió que era hijo natural del Duque de Osuna, D. Pedro Téllez Girón; pero la documentación aportada no era suficiente. Estudió en la Universidad de Alcalá de Henares.

1600.—Toma en Madrid el hábito de la Orden de la Merced.

1601.—Profesa en el convento de la Merced, de Guadalajara.

1606.—Se da a conocer como dramaturgo. Vivía en Madrid.

1616.—Está en Sevilla, donde obtiene licencia para pasar a Indias y se embarca para la isla de Santo Domingo.

1618.—Ya estaba de vuelta de Santo Domingo, y establecía su residencia en Madrid y con preferencia en Toledo. Asistía a la Academia Poética de Madrid, que había fundado Sebastián Francisco de Medrano.

1621.—Publica los *Cigarrales de Toledo*. Tenía ya compuestas 300 comedias.

1622.—Concurre en Madrid al certamen literario por las fiestas de la canonización de San Isidro y no obtiene ningún premio. Asiste al Capítulo General de su orden en Zaragoza.

1623.—Se presenta una denuncia contra él en la Junta de Reformación, porque no parecía bien que un fraile escribiera más comedias (tenía ya 400) y tuvo que salir de Madrid, aunque parece que siguió escribiendo para el teatro.

1625.—Vive en Salamanca.

1626-27.—Vive en Trujillo, en el convento de su orden.

1628.—Vive en Salamanca y en Toledo.

1629.—Interviene en las fiestas en honor del príncipe de Guastala y de San Pedro Nolasco.

1632.—Es nombrado cronista de su orden y Definidor de Castilla.

1635.—Muere Lope de Vega y Tirso no colabora en la *fama póstuma* en honor del Fénix. Aparecen en Madrid la 2.ª y 4.ª parte de sus *Comedias*.

1636.—Aparece en Madrid la 5.ª parte de sus *Comedias*.

1638.—Escribe su última comedia.

1639.—Publica la *Historia de la Orden de la Merced*.

1640.—Publica la *Genealogía de la Casa de Sástago*.

1645-47.—Es Comendador del convento de la Merced, de Soria.

1648.—Muere en Soria.

Tirso era treinta y siete años más joven que Cervantes; veintidós años más joven que Lope de Vega; tres años más joven que Ruiz de Alarcón; diez años más joven que Mira de Amescua; cinco años más joven que Vélez de Guevara; dieciséis años más viejo que Calderón; veintitrés años más viejo que Rojas Zorrilla; treinta y seis años más viejo que Moreto; veintitrés años más joven que Góngora; cuatro años más joven que don Francisco de Quevedo; diecisiete años más viejo que Gracián.

PRINCIPALES ACONTECIMIENTOS
EN LA EPOCA DE TIRSO DE MOLINA

EN POLÍTICA. — Muere Felipe II y sube al trono Felipe III (1598).
Guerra contra los Países Bajos y muerte de Felipe III, comenzando
el reinado de Felipe IV (1621).—Españoles y austríacos vencen en
Nordlingen (1634). — Guerra con Francia (1635). — Sublevación de
Portugal y Cataluña (1640). — Batalla de Rocroy (Condé vence al
Conde Fuentes) (1643). — Paz de Westfalia (1648).

EN LAS CIENCIAS Y EN LAS ARTES. — Muere el pintor Luis de Mo-
rales, llamado *El Divino* (1585). — Nace el pintor Ribera y muere
Sánchez Coello (1588). — Nace Juan Martínez Montañés, célebre
escultor, autor de *La Concepción* y *El Crucifijo* de la Catedral de
Sevilla, etc. (1596).—Nacimiento de Zurbarán (1598). — El español
Pedro Fernández de Quirós descubre las Nuevas Hébridas y explora
Nueva Guinea y Australia, recorriendo sus costas (1605). — John Na-
pier (Neper) inventa los logaritmos (1614). — Nace Blas Pascal, físico y matemático, autor de la máquina aritmética (1623). — Guillermo Harvey publica su obra maestra *De motu cordis et sanguini circu-
latione*, perfeccionando el descubrimiento de Miguel Servet (1628).
El español Bernardo Cienfuegos, notable polígrafo, publica su mo-
numental obra *Historia de las Plantas* (1630). — Nace en Sanlúcar de
Barrameda el matemático Hugo de Omérique, autor de la obra *Ana-
lysis Geométrica Sive Nova* (1634). — El holandés Guillermo Schou-
ten descubre el Cabo de Hornos (1639). — El sacerdote español Al-
varo Alonso Barba publica su célebre obra *El Arte de los Metales*
(1640). — Nace en Woolstrpe (Inglaterra), Isaac Newton, insigne físico y matemático, descubridor de las leyes de la gravitación universal
(1642). — Evangelista Torricelli inventa el barómetro que lleva su
nombre, aunque su perfeccionador fue Bibiani, a la muerte prematura
de Torricelli (1643). — Nace en Leipzig (Alemania) Godofredo Leib-
nitz, coinventor con Newton del cálculo infinitesimal (1646).

EN LITERATURA. — Muere el teólogo Luis de Molina, autor del
célebre *De Liberi arbitrii cum gratiae donis concordia* (1601). — Se
publica en Madrid la primera parte del *Quijote* (1605). — Nace el

dramaturgo francés Corneille (1606). — Aparece el *Arte Nuevo de hacer comedias*, de Lope de Vega (1609). — H. d'Urfé publica *L'Astrée* y Madame de Rambouillet funda su célebre Salón (1610). Aparecen las *Novelas Ejemplares*, de Cervantes (1613). — Muere don Luis de Góngora. Se publican sus Obras completas (1627). — Se publica *La Dorotea*, de Lope (1632). — Se celebra la primera sesión de la Academia Francesa (1634). — Muere Lope de Vega (1635). — Corneille estrena su célebre obra *Le Cid* (1636-1637). — Se publica el *Discurso del Método*, de Descartes (1637). — Muere Ruiz de Alarcón (1639).

DON JUAN, CREACION DEL BARROCO ESPAÑOL Y FIGURA UNIVERSAL

En la comedia de Tirso que ahora imprime CLÁSICOS EBRO cristalizó primero la figura de Don Juan Tenorio, encarnación mítica de primerísimo orden y el personaje más sugestivo de cuantos ha ideado el ingenio del hombre [1].

El entusiasmo acogedor que ha hallado siempre esta creación de Tirso, figura desdoblada en dimensiones míticas e impelida a proyecciones universales, se nutre, concretamente, del dinamismo vital que comunica su presencia. Merced al genio intuitivo del monje español cobró existencia literaria, personal y propia, la raíz impulsiva, insujetable y arisca de la vida misma: Don Juan, hombre de cara al mundo en que le toca vivir; más que revolucionario —en la terminología sectaria de una época cualquiera— el rebelde singular que, sin doctrinas concretas, recoge en sí el impulso de la vida frente al peso omnímodo de la ley, el ritual y la norma rutinaria que impiden su plenitud e inhiben su expresión sincera:

«Don Juan se revuelve contra la moral, porque la moral se había sublevado antes contra la vida. Sólo cuando exista una ética que cuente, como su norma primera, la plenitud vital, podrá Don Juan someterse. Pero eso significa una nueva cultura: la cultura biológica [2]».

Esta contagiosa vitalidad del Don Juan ha servido para revestirle, asimismo, de una infinita variabilidad. Identificado siempre con el impulso de la vida contra el yugo imperioso de sus propias acreciones, derivativas y secundarias, su ademán de rebeldía, que halla eco en todo hombre, se traduce en esa extraordinaria susceptibilidad suya para aparecer reproducido desde las más diversas perspectivas. Bastan los nombres de Molière, Mozart, Hoffman, Byron y Shaw [3] —puntos

1 Don Juan es el personaje más re-elaborado de la literatura universal. Véase ARMAND E. SINGER, *A. Bibliography of the Don Juan Theme. West Virginia Bulletin*, Series 54 (1954), 10-11.
2 J. ORTEGA Y GASSET, *El tema de nuestro tiempo* (Buenos Aires, 1938).
3 Para los diversos usos del personaje tirsiano, véase: L. WEINSTEIN, *The Metamorphoses of Don Juan* (Stanford, 1959).

de vista distintos sobre lo humano— para dar una idea de las sensibilidades diversas que se han acogido a la figura tirsiana, identificada
siempre —por encima de diferencias de raza y de época— con la raíz
dinámica de la vida misma.

Inagotable parece, pues, la vigencia del Don Juan, e interminables
las variantes con que los grandes creadores han plasmado y plasman
sucesivas visiones de su vitalidad inabatida. Mas a pesar de esto, el
Don Juan que se ha universalizado —reflejo de esencialidad humana
y desconocedor, por ello, de barreras de tiempo y espacio— apenas
disimula su gestación española, paseándose aún por el mundo con librea
netamente ibérica. Su nombre, tan sugestivo ya que pocos seguidores
de Tirso han visto bien aiterarlo, es emblema de estirpe; como lo
son, en cierta medida, su arrogancia varonil, el desgastador *tempo* de
su vivencia y hasta la astucia picaresca que a veces despliega. Y aunque
es verdad que sólo el personaje de Tirso proyecta todas estas características con intensidad calculada, y que apenas hay Don Juan salido
de pluma ajena que no revele la atenuación de alguna de ellas, cabe
advertir que no hay figura donjuanesca en toda la literatura que no
confiese, con alguna de esas mismas características, su entronque con
el magistral prototipo español.

Los numerosos Don Juanes que pueblan el paisaje literario de
Europa fijan la pauta de alteración que sufre, y ha sufrido siempre,
el personaje mítico. Cada época altera o elimina elementos que se
ajustan mal a su sensibilidad, y cada pueblo destaca y hace hincapié
en aquéllos que reflejan la fibra de su propio sentir. Tal es el destino
de la personalidad mítica: depositaria de esencialidad por definición
y amoldable, también por definición, a la infinidad de hormas con que
el hombre (distinto e igual en cada momento de su historia) piensa
modelar lo que es consustancial a su ser. Don Juan Tenorio, con ser
el prototipo de todos, es, asimismo, la expresión concreta de un deter-
minado momento del vivir de un pueblo. Aunque animado con eflu-
vios seculares del folklore universal [4], sólo aparece revestido de personalidad propia —y con toda la pujanza expansiva de un ímpetu vital
hecho persona— en el diecisiete español, en pleno florecimiento del
barroco más expresivo de Europa. Esto nos permitirá comprender importantes facetas del personaje tirsiano y terminará por hacer más
inteligible, también, el por qué de su extraordinaria susceptibilidad
mítica.

Se ha insistido siempre, por ejemplo, en los supuestos religiosos
con que Tirso invistió a su creación [5]. En efecto, los mismos elementos
folklóricos que empleó se hallaban ya —como salidos del medioevo
europeo— empapados de trascendencia ultratúmbica; y se comprende

---

4 Para las fuentes folklóricas de Tirso, véanse: V. SAID ARMESTO, *La leyenda de Don Juan* (Madrid, 1908) y R. MENÉNDEZ PIDAL, *Estudios literarios*
(Madrid, 1920).

5 No es error, en modo alguno, el colocar *El burlador*, como se ha
hecho a menudo, entre las comedias teológicas de Tirso.

perfectamente, tratándose de una sensibilidad barroca (polarizada entre realidad y eternidad), que recogiera de la cantera popular precisamente aquel esquema que le proporcionaba la proyección de toda una actuación humana sobre el plano de lo eterno. Ni ofrece problema (en época, en país y en escritor tan identificados con la Contrarreforma) que la creación artística sirviera un fin abiertamente teológico-didáctico. En el diecisiete, la Contrición se destaca como diferencial frente a la Europa Protestante; y su defensa, inesquivable en aquella guerra fría, exigía un planteamineto definitorio dentro del ámbito católico. El «¿tan largo me lo fiáis?» de Don Juan resuena, pues, como lema libertino de consecuencias aleccionadoras; y, en cuanto personaje de época, eso mismo proyectaría, exclusiva o principalmente, cuando saliera al tablado del diecisiete español [6].

Hemos de suponer que Tirso siguió, en la creación de su personaje, las directrices propuestas, quedando prendado, como hombre contrarreformista y barroco, tanto de las posibilidades trascendentes del esquema folklórico como de su susceptibilidad para comparecer como portavoz ejemplar de un didacticismo explícito. Pero a pesar de estos motivos concretos, tan sujetos a tiempo y lugar determinados, Don Juan alcanza, casi desde su primera aparición [7], un vuelo universal que acredita cualidades míticas. ¿Cómo y por qué surge del barroco español este ser extraordinario, cuya desbordante vitalidad sigue cautivando al hombre occidental?

El barroco, período de tensiones desorbitadas, ve el esfuerzo del hombre europeo por revivir, tras un largo renacimiento de valores humanos e inmanentes, un modo de ser medieval y de signo contrario, espiritual y trascendente. Este esfuerzo, incompleto como lo es siempre el de una generación que intenta recaptar lo superado, desemboca en ansiedades paradójicas. Y dentro de Europa, es en España donde más intensamente se vive la desconsolada angustia de aspirar a lo eterno sin poder olvidar un instante, ni dejar un segundo, esta vida y este mundo, dotados de un prestigio que desconocieron en el medioevo. Batsa citar a nuestros clásicos del barroco, a Lope, Góngora, Quevedo y Gracián, para fijar esa existencia agónica en seres que dejan tras de sí una estela vital de contradicciones retorcidas.

Pues bien, este barroco español —resumen intensificado del sentir europeo— se proyecta, aunque sea negativamente, en la personalidad del Don Juan, creación máxima de su espíritu revuelto y máximo exponente de sus auto-contradicciones más sentidas. Este ente mundano,

---

6 *El burlador*, un 'condenado por confiado', hace contraste, como han visto algunos críticos, con *El condenado por desconfiado*, también atribuido a Tirso. Como Tirso pertenecía a la misma orden que Zumel, teólogo que se colocaba entre los extremos de Molina (Jesuitas) y Báñez (Dominicanos), algunos han querido ver en esas dos obras una ejemplificación escénica de esa posición. Véase: *Tirso de Molina*, publicación de la revista *Estudios* (Madrid, 1949), pp. 323-336.

7 Para su aparición en Italia en la tercera década del diecisiete, véase: A. FARINELLI, *Don Giovanni* (Milán, 1946).

dinámico, es el eco de conciencia de una época que aspiraba tenaz-
mente —y en contradicción consigo misma— hacia otro espacio que
aquél en que se sentía atada por sus inclinaciones más humanas. De
ahí el signo equívoco con que se nos revela primero en Tirso: condenado, desde luego, en cuanto remordimiento de conciencia, en cuanto
conciencia de frustración; pero heroico en su pretensión imposible
de abarcar, conquistándolos, los dos mundos en que se divide el alma
barroca.

Nada extraña, pues, que el Don Juan, como expresión de esa con-
trariedad íntima que es el barroco, del barroco surgiera plenamente.
Sólo una época en que el hombre siente la existencia como impulso
vital, porque el impulso mismo le duele como cáncer inseparable-
mente adherido a su naturaleza, pudo dar de sí al Don Juan; sólo
una generación dolorosamente consciente del poder irresistible de ese
impulso (que la alejaba, atormentada, de ansiadas metas espirituales)
podía dar perfil tan concreto a lo vital. Y una vez lanzada al mundo
esa figura repleta de vida, de vida insobornable, quedó aquí entre
nosotros, para bien o para mal, según el lector y la época.

EL BURLADOR DE SEVILLA

El burlador, como otras obras importantes de nuestra literatura,
ha pasado por el crisol de la anonimidad. Durante siglos se disputó la
atribución tradicional a Tirso de Molina, cuestión sólo resuelta a favor
del mercedario —y con ciertas reservas [8]— en el siglo que corre. Mas
esta asignación de autor, que tentativamente llena un claro fundamental en torno a la obra, deja numerosos problemas en pie: la fecha en
que fue escrito y representado *El burlador*, las condiciones en que lo
recibió del público del diecisiete, las circunstancias precisas —que
tanto podrían aportar al contexto humano de la pieza— en que salió
de la pluma del dramaturgo y, finalmente, todo el misterio que encierra la publicación de *El burlador*, nunca a nombre del supuesto
autor.

De todo lo desconocido aún, tan sólo la fecha de creación —y de
representación, si se siguió la costumbre del período— puede apro-
ximarse con alguna certeza [9]. La primera edición conocida de *El burlador*, de 1630, fija término por un lado; mientras que la atribución
a Tirso, cuyos comienzos dramáticos se remontan a 1605, lo fija por
otro lado. Hay, además, alguna evidencia interna —la minuciosa des-
cripción de Lisboa, cuando se relaciona con la biografía de Tirso— de

---

8 La crítica moderna, con insistir en la prioridad de *¿Tan largo me lo
fiáis?*, de nuevo pone en duda la autenticidad tirsiana de *El burlador*, que
resulta, con ese criterio, refundición de esa otra comedia. Volveremos sobre
todo esto en la última parte de la introducción.

9 Para el estudio, inconcluso, de muchas de estas cuestiones (fuente
también de los datos biográficos que siguen a continuación), véase: BLANCA
DE LOS RÍOS, 'Introducción', *Obras dramáticas completas de Tirso de Molina*, tres tomos (Madrid, 1946).

que la comedia fue escrita entre 1620 y 1625. En todo caso, esta fecha aproximada es, en sí, significativa. Las primeras décadas del diecisiete ven el triunfo definitivo del barroco literario, y *El burlador* resulta, entonces, contemporáneo de esa pléyade de obras maestras que dan expresión cabal a la nueva sensibilidad: la poesía de Góngora, la prosa de Quevedo y lo más granado del teatro de Lope.

ESTRUCTURA TEATRAL

Comedia del diecisiete, y estrechamente relacionada con el barroco escénico que toma su pauta de la ebullición personal y creadora de Lope, *El burlador* revela en toda su estructura un vigor dinámico que parece, a veces, hasta desconcertante en su pulsación vital:

«En *El burlador* nos encontramos ante un organismo donde cada elemento es un miembro con vida propia y en constante transformación [10]».

Dentro de esta fórmula de captación dramática, en que la proyección inmediata de una actividad y una acción vitales rompe con las razonables recetas de la organización clásica, *El burlador* es prototípico. Y quizá sea en la rapidez de su transición escénica —abrumadora, a veces, en su efecto cumulativo— donde mejor y más directamente se observa esta cualidad dinámica: sucesión de instantes intensamente vividos, a menudo desprovista de pausas y reconcentraciones explicativas, y careciendo siempre de minuciosidad consecuencial en los detalles [11]. Se asemeja, en esto, al torrente kaleidoscópico de la vida misma; como si no existiera para el creador todo ese andamiaje de conectivos y aglutinantes que otras sensibilidades identifican con la proyección artística. Entiéndose: no se trata, en modo alguno, de una expresión realista, recordatoria del permanecer inercial del mundo físico o del existir humano en cuanto es espacial (proyecciones, éstas, que fija mejor el procedimiento contrario, siempre detallista y consecuente); pues lo que transmite admirablemente *El burlador* en su aparente desarticulación es la inquietud, hondamente vital, del barroco español:

«La obra se desarrolla en el tiempo y no se dispone en el espacio, se mueve en una categoría sentimental y no en una categoría lógica [12]».

---

10 J. CASALDUERO, *Contribución al estudio del tema de Don Juan en el teatro español*, Smith College Studies in Modern Languages, Vol. XIX (1938), pág. 32.

11 Los críticos modernos han señalado los más importantes fallos, si es que lo son: El declarar Don Juan, al principio mismo de la obra, que es caballero del embajador de España y que nadie se dé cuenta de ello para absolver al duque Octavio; que el rey sepa de las dificultades del duque Octavio en Nápoles, pero desconozca que se tratara de la duquesa Isabel, etc.

12 CASALDUERO, op. cit., pág. 37.

El cuidado artístico que aportó Tirso a esta organización temporal se refleja, patentemente, en el desarrollo temático de *El burlador*, unilateral y desprovisto de los desdobíamientos de trama y personajes que caracterizan al teatro de la época. Y este desenvolvimiento rectilíneo de acontecimientos cuya sucesión se relaciona en el tiempo produce, al inscribirse en una estructura teatral de dinámica soltura, el efecto dramático que el mismo Casalduero ha calificado de «tema musical con variaciones».

Con esta imagen musical por delante, convendría anotar algunos de los variados elementos que Tirso incorporó a su comedia: el estudiado movimiento, en crescendo, de los juramentos del Don Juan, factor en torno al cual se galvanizan las tres etapas de la comedia[13]; la omnipresencia del fuego en la pieza, reflejo inesquivable de pasión absoluta y semblanza repetida de retribución ultratúmbica[14]; la paulatina intensificación, hasta la muerte del propio Don Juan, de la «contrapasión» (paralelo entre delito y castigo), norma de justicia divina[15]; y, entre otras interpolaciones calculadas y que hacen de bordado sobre lo rectilíneo del desarrollo temático, una aparente sencillez en el despliegue escénico del «burlador» (dama noble, pescadora, dama noble, labradora) que, lejos de ser sencilla, encierra giros irónicos de tradición bucólica y de comicidad entremesil[16].

Caracterización

Si la estructura barroca de *El burlador* llegó, con el tiempo, a desmerecer ante la sensibilidad alterada de las generaciones siguientes, hasta resultar incomprehensible, o disparatada cuando menos, la intensidad de su proyección dinámica, no puede decirse otro tanto del gran personaje que le sirve de eje. Ninguna duda cabe que hay algo en esa caracterización tirsiana que resiste, incólumemente, tanto las alteraciones de sensibilidad como los cambios de perspectiva que trae la marcha del tiempo.

En la primera parte de esta Introducción se han subrayado las cualidades míticas del Don Juan. Ahora nos interesa más insistir en los toques de caracterización que hicieron posible la proyección máxima de aquéllas, en el marco personal, humano, que sujeta, adorna y destaca lo que hay de universal en el personaje. Tirso, el mejor caracterizador de su día[17], era el llamado, desde luego, a elaborar el

13 Casalduero, *Contribución al estudio del tema de Don Juan*, pp. 1-16.
14 D. Rogers, «Fearful Symmetry: The Ending of *El Burlador*», *Bulletin of Hispanic Studies*, XLI (julio, 1964), 141-60.
15 A. Marni, «Did Tirso Employ Counterpassion in El Burlador?», *Hispanic Review*, XX (1952), 123-33.
16 M. R. Lida de Malkiel, «Sobre la prioridad de ¿*Tan largo me lo fiáis?*, notas al *Isidro* y a *El burlador*», *Hispanic Review*, XXX (1962), 275-295.
17 G. Mancini, 'Caratteri e problemi del teatro di Tirso', en *Studi tirsiani* (Milán, 1958), pág. 14.

personaje más extraordinario de nuestra literatura; y su gran éxito en la difícil tarea de personalizar ímpetus fundamentales de lo humano radica, como hemos de ver, en la utilización de determinadas normas de caracterización.

Puede observarse, en primer lugar, una insistencia calculada —y ejecutada con destreza— sobre la complejidad del personaje, atención que le presta densidad humana a esta cristalización original del ente mítico. Basta recordar, en este sentido, la variada serie de actos y actitudes con que se nos presenta el Don Juan: desde que se niega a cruzar espadas con su tío, pasando por el espíritu de sacrificio que revela al salvar a su criado, hasta la osada temeridad que muestra frente al oscuro poder de ultratumba. E insistimos en éstos, instantes de vida que pasan al haber personal de la caracterización [18], precisamente porque se hallan incrustados, intencionada y equívocamente, en un desarrollo vital de signo negativo, destructor e inmoral. En todo caso, el éxito del procedimiento es innegable: ¿Qué lector resiste el atractivo heroico que emana del Tenorio, o, una vez proyectado en toda su pujanza diabólica, quién condena sin reservas al «burlador de España»? No cabe duda que el personaje, de complejidad estudiada, y que a veces raya en lo paradójico, se salva del juicio superficial y tajante que es la antesala del limbo para toda creación literaria [19].

Otra norma de caracterización dramática, no menos fundamental para que el Don Juan se proyectara íntegro, sin titubeos en lo que toca a su carácter esencial, consiste en su polarizacin frente a todo y a todos: frente a la estructura política (rey) y frente al orden social (mujeres, amigos); frente a la obligación familiar (padre, tío), frente a su propia conciencia (Catalinón, en cuanto le sirve de «alter ego») y hasta frente al misterio aterrador del más allá (la estatua del Comendador). Esta polarización subraya, y hasta magnifica a propósito, las líneas decisivas de la caracterización:

> «Ahí tenemos al intrépido Burlador. Identificándonos con él, descargamos los impulsos reprimidos de rebelión contra la autoridad, contra todo lo estatuído, en una afirmación de libertad omnímoda, como sólo puede tenerla el espíritu del fuego [20]».

---

18 Hay otros, que se anotarán al comentar el texto; y debe constar, asimismo, que hay diversas opiniones sobre los mismos hechos que anotamos. Véase: WARDROPPER, B. W., «*El burlador*: A Tragedy of Errors», *Philological Quarterly*, XXXVI (1957), 61-71.

19 Véase: A. CASTRO, «El Don Juan de Tirso y el de Moliére como personajes barrocos», *Hommage a Ernest Martinenche* (París, 1939), pp. 93-111.

20 F. AYALA, 'Burla, burlando...', en *Realidad y ensueño* (Madrid, 1963), pág. 73.

Versificación

La versificación de *El burlador*, como se hará constar a lo largo del texto, adolece de numerosos descuidos, tanto de medida y de omisión como de rima. Esto —que nada extraña en obra teatral del Siglo de Oro, escritas, a veces, en una noche, y publicadas, casi siempre, del manuscrito entregado años antes a la compañía de cómicos— rara vez afecta la inteligibilidad del texto, que sí padece, desafortunadamente, de varias lagunas importantes y de cierto desorden en la presentación. Por lo demás, las formas poéticas que se hallan en la obra corresponden, como indica el resumen que sigue, a las que podíamos esperar en el teatro de Tirso y de la época: un alto porcentaje de redondillas (42 por ciento) y de romance (32 por ciento), y, por consiguiente, un predominio total del verso corto, castellano, sobre el endecasílabo italianizante.

Sólo requiere advertencia aclaratoria, por sorprender un tanto en obra de Tirso, el culteranismo que aparece en determinados segmentos de *El burlador*. Es de notar, primero, que la expresión rebuscada y retorcida ocupa poco lugar en la comedia; y, en segundo lugar, que se halla casi del todo identificada con un solo personaje: Tisbea. Esta última limitación ya sugiere el uso primordial que hace Tirso de una manera poética que nunca fue de su agrado. Puede revelar, como indica Casalduero [21], el esfuerzo de Tirso por separar —dentro de la obra, y como proyección de re-elaboración literaria— toda la actuación del personaje femenino. Es de notar, al mismo tiempo, que la expresión de Tisbea (casi todo lo que hay de gongorino en *El burlador*) sirve de toque caracterizador, haciendo que ésta transmita al público, desde sus primeras palabras, de preciosismo retorcido, el «snobismo» que identificamos con ella. Este fin caracterizador, con sus ribetes de ironía, refleja la actitud general del dramaturgo; actitud irónica que se observa, asimismo, en la exageración metafórica que acompaña a la expresión culto-cómica del gracioso.

ESQUEMA DE VERSIFICACION

Acto I

vv. 1-120	redondillas
vv. 121-190	romance (e-a)
vv. 191-278	redondillas
vv. 279-314	romance (o-o)
vv. 315-374	quintillas (abbaa, aabba)
vv. 375-516	romancillo (o-a)
vv. 517-696	redondillas
vv. 697-721	sueltos (endecasílabos)
vv. 722-876	romance (e-a)

---

21 Casalduero, *Contribución al estudio del tema de Don Juan...*, pág. 4.

vv. 877-980   redondillas
vv. 981-984   canción popular (irregular)
vv. 985-1044   romance (a-a), con estribillo de romance endecasílabo: vv. 997-98, 1011-12, 1029-30, 1043-44.

Acto II

vv. 1-48   sueltos (endecasílabos, con algunos pareados)
vv. 49-80   octavas reales
vv. 81-563   redondillas, con algunos pareados octosilábicos de estribillo cancioneril: vv. 441-42, 451-52, 506-507
vv. 564-627   romance (a-a)
vv. 628-657   canción octosilábica (abbaaccd) con estrebillo cancioneril de dos pareados octosilábicos (ddee): vv. 628-631, 640-643
vv. 658-744   quintillas (abbaa, aabba)

Acto III

vv. 1-120   redondillas
vv. 121-300   romance (i-a)
vv. 301-408   canción (aBaBcC)
vv. 409-473   quintillas (ababa)
vv. 474-601   redondillas
vv. 602-687   romance (ó)
vv. 688-735   octavas reales
vv. 736-787   romance (a-a)
vv. 788-836   quintillas (ababa, aabba)
vv. 837-1068   romance (a-e)

Hemos de advertir que los versos sueltos y las rimas defectuosas de la edición de 1630 se comentarán según vayan apareciendo en el texto; excepto cuando nuestra edición se halle corregida siguiendo a una edición anterior del mismo o a *¿Tan largo me lo fiáis?*, en cuyo caso aparecerán en el Apéndice I.

NUESTRA EDICION

El editor moderno de *El burlador* confronta un problema textual cuya resolución inicial es decisiva: el lugar y la importancia de *¿Tan largo me lo fiáis?*, comedia similar en todo a *El burlador* (argumento, personajes y hasta expresión), menos en la organización del impacto dramático. Si *¿Tan largo...?* es refundición de *El burlador*, posición defendida hace años por Casalduero [22], resulta peligroso todo intento

22 CASALDUERO, *Contribución al estudio del tema de Don Juan...*, páginas 17-44.

de arreglar o corregir los numerosos vicios del texto de 1630 utilizando el *¿Tan largo...?*, obra reconstruída, si lo fue, con sensibilidad e intención distintas. Por otra parte, si *¿Tan largo...?* es la versión original y *El burlador* la forma refundida, posición muy convincentemente propuesta en varios estudios de nuestros días [23], el problema se complica, bifurcándose en proposiciones distintas: 1) Que *El burlador* es refundición inartística, más bien una copia estropeada de *¿Tan largo...?* [24]; en cuyo caso toda corrección que se haga de *El burlador*, basándose en *¿Tan largo...?*, mejorará el texto. Y 2) Que *El burlador*, con ser refundición y todo, revela —a pesar del texto defectuoso que ha llegado hasta nosotros— una nueva dirección artística, una alteración fundamental y estética de la obra original; en cuyo caso se corre el peligro, al corregir uilizando *¿Tan largo...?*, de oscurecer una intención y una expresión artísticas que nada desmerecen por ser las de un refundidor [25].

Convencidos de la prioridad de *¿Tan largo me lo fiáis?*, pero lejos de aceptar el juicio de su superioridad expresiva y artística, nuestra edición de *El burlador de Sevilla* recogerá de esa versión anterior sólo lo que sirva para corregir defectos de *El burlador* sin alterar la organización dramática, el tempo de acción y los matices de situación y de caracterización que lo distinguen. En este sentido, nuestra edición se ajustará, aún más que la gran edición de Castro (Clásicos Castellanos), a las ediciones antiguas de 1630 y 1649 (1652) +.

Tres razones —dos asentadas en probabilidades y una que se desprende de la lectura misma de *El burlador*— nos han llevado a decidir por la edición que presentamos. En primer lugar, existe la posibilidad —propuesta por acreditados estudiosos de Tirso [26]— de que el mercedario fuera el refundidor de su propia obra. En este caso, las diferencias fundamentales que existen entre *¿Tan largo me lo fiáis?* y *El burlador de Sevilla*, excepto cuando se deben claramente a errores de copia o a descuido editorial, reflejan una intención concreta del refundidor (refundiendo su propia obra), intención que habrá que explicar a veces, pero siempre respetar. Hemos de tener en cuenta, asimismo, la probabilidad de que existiera —sin llegar hasta nosotros— una versión más completa de *El burlador*, refundición del propio Tirso quizá y exenta de las lagunas y de los errores que estro-

23 Véanse: LIDA DE MALKIEL, «Sobre la prioridad de *¿Tan largo me lo fiáis?*»; y G. E. WADE & R. J. MAYBERRY, «*¿Tan largo me lo fiáis?* and *El burlador de Sevilla*», *Bulletin of the Comediantes*, XIV (1962), 1-16.

24 LIDA DE MALKIEL, op. cit.

25 ROGERS, «Fearful Symmetry: The Ending of El Burlador», páginas 157-158.

+ Este mismo símbolo servirá de llamada al Apéndice I, donde reuniremos las variantes y las correcciones incorporadas a esta edición.

26 Véase, por ejemplo, BLANCA DE LOS RÍOS, 'Introducción', *Obras dramáticas completas de Tirso de Molina*, vol. II.

pean la edición de 1630 [27]. Finalmente, una lectura detenida de las dos comedias nos lleva a la conclusión de que *El burlador*, debido a unos cambios que han anotado casi todos los estudiosos de la obra, destaca mejor la figura del Don Juan, que es, al fin y al cabo, el elemento universal que contiene la pieza: el título mismo, una preparación más cuidadosa del desenlace sobrenatural [28], que fija una de las facetas más importantes del ente mítico [29]; una reducción calculada de culpabilidad en las víctimas del protagonista [30], resaltando así la capacidad activa del mismo; la eliminación de algunos toques negativos en la caracterización del Don Juan [31], con lo que se establece mejor el equilibrio de complejidad que comentamos antes; y, entre otros cambios secundarios que no mencionamos, una reorganización escénica y de diálogo —perceptible ya desde las primeras líneas— dirigida a centrar más directamente en el personaje principal [32].

27 WADE Y MAYBERRY, «¿*Tan largo me lo fiáis?* and *El burlador de Sevilla*»; and ROGERS, «Fearful Symmetry: The Ending of *El burlador*», pág. 159.

28 CASALDUERO, «El desenlace de *El burlador de Sevilla*» en *Studia in Honorem L. Spitzer* (Berne, 1958).

29 AYALA, *Realidad y ensueño*, pp. 71-74.

30 LIDA DE MALKIEL, «Sobre la prioridad de ¿Tan largo me lo fiáis?», pág. 289.

31 Ibid., pág. 291.

32 CASALDUERO, *Contribución al estudio del tema de Don Juan*, pp. 32-33.

BIBLIOGRAFIA

Lomba y Pedraja, J. R.: *La leyenda y la figura de Don Juan Tenorio en la literatura española.* Murcia, 1921.

Ortega y Gasset, J.: *Meditación de Don Juan.* Madrid, 1921.

Ortega y Gasset, J.: *Cinco ensayos sobre Don Juan,* Santiago de Chile, 1933.

Spitzer, L.: «En lisant le *Burlador*», *Neuphilologische Mitteilungen,* XXXVI (1935), 282-90.

Mckay, D. E.: *The Double Invitation in the Legend of Don Juan.* Stanford, 1943.

Aubrun, C. V.: «Le Don Juan de Tirso de Molina», *Bulletin Hispanique,* LIX (1957), 26-61.

EL BURLADOR DE SEVILLA
Y CONVIDADO DE PIEDRA

COMEDIA FAMOSA DEL MAESTRO

TIRSO DE MOLINA

PERSONAS

DON DIEGO TENORIO, *viejo*
DON JUAN TENORIO, *su hijo*
CATALINON, *lacayo*
EL REY DE NAPOLES
EL DUQUE OCTAVIO
DON PEDRO TENORIO
EL MARQUES DE LA MOTA
DON GONZALO DE ULLOA
EL REY DE CASTILLA
DOÑA ANA DE ULLOA
FABIO, *criado*
ISABELA, *duquesa*
TISBEA, *pescadora*
BELISA, *villana*
ANFRISO, *pescador*
CORIDON, *pescador*
GASENO, *labrador*
BATRICIO, *labrador*
RIPIO, *criado*
AMINTA, *villana*

EL BURLADOR DE SEVILLA

JORNADA PRIMERA

Salen DON JUAN TENORIO y ISABELA, *duquesa*

ISABELA.	Duque Octavio, por aquí
	podrás salir más seguro.
DON JUAN.	Duquesa, de nuevo os juro
	de cumplir el dulce sí.
ISABELA.	¿Mis glorias serán verdades, 5
	promesas y ofrecimientos,
	regalos y cumplimientos,
	voluntades y amistades? [1]
DON JUAN.	Sí, mi bien.
ISABELA.	Quiero sacar
	una luz.
DON JUAN.	¿Pues para qué? 10
ISABELA.	Para que el alma dé fe
	del bien que llego a gozar.
DON JUAN.	Mataréte la luz yo.
ISABELA.	¡Ah, cielo! ¿Quién eres, hombre?
DON JUAN.	¿Quién soy? Un hombre sin nombre. 15
ISABELA.	¿Que no eres el duque?
DON JUAN.	No.
ISABELA.	¡Ah, de palacio!
DON JUAN.	Detente:
	dame, duquesa, la mano.

---

1 Mis glorias, tus promesas y ofrecimientos, etc., ¿serán igualmente verdad?

ISABELA.   No me detengas, villano.
            ¡Ah, del rey! ¡Soldados, gente! [2]   20

Sale el REY DE NÁPOLES *con una vela en un candelero*

REY.   ¿Qué es esto?
ISABELA.   [*Ap.*]   ¡El rey! ¡Ay, triste!
REY.   ¿Quién eres?
DON JUAN.   ¿Quién ha de ser?
              Un hombre y una mujer.
REY.   [*Ap.*] Esto en prudencia consiste.—
              ¡Ah, de mi guarda! Prendé +   25
              a este hombre.
ISABELA.   ¡Ay, perdido honor!

Sale DON PEDRO TENORIO, *embajador de España, y* GUARDA

DON PEDRO.   ¡En tu cuarto, gran señor,
              voces! ¿Quién la causa fue?
REY.   Don Pedro Tenorio, a vos
              esta prisión os encargo.
              Siendo corto, andad vos largo [3];   30
              mirad quién son estos dos.
                  Y con secreto ha de ser,
              que algún mal suceso creo,
              porque si yo aquí lo veo   35
              no me queda más que ver [4].   (*Vase.*)
DON PEDRO.   Prendedle.
DON JUAN.   ¿Quién ha de osar?
              Bien puedo perder la vida;
              mas ha de ir tan bien vendida,
              que a alguno le ha de pesar.   40
DON PEDRO.   ¡Matadle!

---

2 ¡Ah, del rey!; expresión obligada de socorro, y que de ningún modo
sugiere que Isabela llame al rey directamente. Su sorpresa y dolor al aparecer éste (verso 21) son genuinos.
    3 El rey le exhorta a ser enérgico, pero salvando las apariencias por
ser cuestión que toca a palacio.
    4 El rey indica que quiere evitar un acto de justicia inmediato, al que
quizá fuera obligado si interviniera personalmente.

DON JUAN.	¿Quién os engaña?
	Resuelto en morir estoy,
	porque caballero soy
	del embajador de España.
	Llegue; que solo ha de ser 45
	quien me rinda.
DON PEDRO.	Apartad;
	a ese cuarto os retirad
	todos con esa mujer. *(Vanse.)*
	Ya estamos solos los dos;
	muestra aquí tu esfuerzo y brío. 50
DON JUAN.	Aunque tengo esfuerzo, tío,
	no le tengo para vos.
DON PEDRO.	¡Di quién eres!
DON JUAN.	Ya lo digo:
	tu sobrino.
DON PEDRO.	[Ap.] ¡Ay, corazón,
	que temo alguna traición! 55
	¿Qué es lo que has hecho, enemigo?
	¿Cómo estás de aquesa suerte? [5]
	Dime presto lo que ha sido.
	¡Desobediente, atrevido!...
	Estoy por darte la muerte. 60
	Acaba.
DON JUAN.	Tío y señor,
	mozo soy y mozo fuiste;
	y pues que de amor supiste,
	tenga disculpa mi amor.
	Y, pues a decir me obligas 65
	la verdad, oye y diréla:
	yo engañé y gocé a Isabela
	la duquesa...
DON PEDRO.	No prosigas,
	tente. ¿Cómo la engañaste?
	Habla quedo y cierra el labio. 70

---

5 aquesa; esa.

Don Juan.   Fingí ser el duque Octavio...
Don Pedro.   No digas más, calla, baste.— *
             [*Ap.*] Perdido soy si el rey sabe
             este caso. ¿Qué he de hacer?
             Industria me ha de valer   75
             en un negocio tan grave.—
                 Di, vil: ¿no bastó emprender
             con ira y con fuerza extraña +
             tan gran traición en España
             con otra noble mujer,   80
                 sino en Nápoles también
             y en el palacio real,
             con mujer tan principal?
             ¡Castíguete el cielo, amén!
                 Tu padre desde Castilla   85
             a Nápoles te envió,
             y en sus márgenes te dio
             tierra la espumosa orilla
                 del mar de Italia, atendiendo 6
             que el haberte recebido   90
             pagaras agradecido,
             ¡y estás su honor ofendiendo,
                 y en tal principal mujer!
             Pero en aquesta ocasión 7
             nos daña la dilación;   95
             mira qué quieres hacer.
Don Juan.   No quiero daros disculpa,
             que la habré de dar siniestra 8.
             Mi sangre es, señor, la vuestra;
             sacadla, y pague la culpa.   100
                 A esos pies estoy rendido,
             y ésta es mi espada, señor.

---

* Corregimos la rima defectuosa (basta) de la edición de 1630.
6 atendiendo; esperando.
7 aquesta; esta.
8 siniestra; mala, pobre.
9 La licencia poética permitía la omisión del pronombre complemento (me).

Don Pedro.	Alzate y muestra valor,
	que esa humildad me ha vencido.
	¿Atreveráste a bajar 105
	por ese balcón?
Don Juan.	Sí atrevo, [9]
	que alas en tu favor llevo.
Don Pedro.	Pues yo te quiero ayudar.
	Vete a Sicilia o Milán,
	donde vivas encubierto. 110
Don Juan.	Luego me iré.
Don Pedro.	¿Cierto?
Don Juan.	Cierto.
Don Pedro.	Mis cartas te avisarán
	en qué para este suceso
	triste, que causado has.
Don Juan.	[*Ap.*] Para mí alegre, dirás.— 115
	Que tuve culpa, confieso.
Don Pedro.	Esa mocedad te engana.
	Baja, pues, ese balcón.
Don Juan.	[*Ap.*] Con tan justa pretensión
	gozoso me parto a España [10]. 120

Vase don Juan *y entra el* rey

Don Pedro.	Ya ejecuté, gran señor [11],
	tu justicia justa y recta.
	El hombre...
Rey.	¿Murió?
Don Pedro.	Escapóse
	de las cuchillas soberbias.
Rey.	¿De qué forma?
Don Pedro.	De esta forma: 125
	Aun no lo mandaste apenas,
	cuando, sin dar más disculpa,

---

10 Don Juan dice que, justificándose él de nuevo con esa juventud a la que acaba de aludir su tío, romperá su palabra a éste y se irá a España.
11 Esto se entiende si se tiene en cuenta (verso 139) que Don Pedro indica que da por muerto al que perseguía; aunque, cuando confrontado con la pregunta del rey (verso 123), no se atreva a afirmarlo directamente.

la espada en la mano aprieta,
revuelve la capa al brazo,
y con gallarda presteza,   130
ofendiendo a los soldados
y buscando su defensa,
viendo vecina la muerte,
por el balcón de la huerta
se arroja desesperado.   135
Siguióle con diligencia
tu gente; cuando salieron
por esa vecina puerta,
le hallaron agonizando
como enroscada culebra.   140
Levantóse, y al decir
los soldados: «¡muera, muera!»,
bañado de sangre el rostro,
con tan heroica presteza
se fue, que quedé confuso.   145
La mujer, que es Isabela,
—que para admirarte nombro—
dice que es el duque Octavio
que, con engaño y cautela,   150
la gozó.

REY.   ¿Qué dices?
DON PEDRO.   Digo
lo que ella propia confiesa.

REY.   [*Ap.*] ¡Ah, pobre honor! Si eres alma
del hombre, ¿por qué te dejan +
en la mujer inconstante,   155
si es la misma ligereza?—
¡Hola!

                    Sale un CRIADO

CRIADO.   ¡Gran señor!
REY.   Traed
delante de mi presencia
esa mujer.

Don Pedro.   Ya la guardia
                    viene, gran señor, con ella.   160

                    Trae la Guarda *a* Isabela

Isabela.   [*Ap.*] ¿Con qué ojos veré al rey?
Rey.   Idos, y guardad la puerta
                de esa cuadra. —Di, mujer: [12]
                ¿qué rigor, qué airada estrella
                te incitó, que en mi palacio,   165
                con hermosura y soberbia,
                profanases sus umbrales?
Isabela.   Señor...
Rey.   Calla, que la lengua
                no podrá dorar el yerro
                que has cometido en mi ofensa.   170
                ¿Aquél era el duque Octavio?
Isabela.   Señor...
Rey.   ¡Que no importan fuerzas [13],
                guarda, criados, murallas,
                fortalecidas almenas
                para amor, que la de un niño [14]   175
                hasta los muros penetra!
                Don Pedro Tenorio: al punto
                a esa mujer llevad presa
                a una torre, y con secreto
                haced que al duque le prendan,   180
                que quiero hacer que le cumpla
                la palabra o la promesa.
Isabela.   Gran señor, volvedme el rostro.
Rey.   Ofensa a mi espalda hecha
                es justicia y es razón   185
                castigarla a espaldas vueltas. (*Vase el* Rey.)
Don Pedro.   Vamos, duquesa.

---

12 cuadra; habitación.
13 fuerzas; fortalezas.
14 Se entiende 'fuerza'.

ISABELA.   Mi culpa
no hay disculpa que la venza;
mas no será el yerro tanto
si el duque Octavio lo enmienda.   190

Vanse y sale el DUQUE OCTAVIO *y* RIPIO, *su criado*

RIPIO.   ¿Tan de mañana, señor,
te levantas?
OCTAVIO.   No hay sosiego
que pueda apagar el fuego
que enciende en mi alma amor.
     Porque, como al fin es niño,   195
no apetece cama blanda,
entre regalada holanda,
cubierta de blanco armiño.
     Acuéstase, no sosiega,
siempre quiere madrugar   200
por levantarse a jugar,
que, al fin, como niño, juega.
     Pensamientos de Isabela
me tienen, amigo, en calma [15],
que como vive en el alma   205
anda el cuerpo siempre en vela, +
     guardando ausente y presente
el castillo del honor.
RIPIO.   Perdóname, que tu amor
es amor impertinente.   210
OCTAVIO.   ¿Qué dices, necio?
RIPIO.   Esto digo:
impertinencia es amar
como amas; ¿quies escuchar? +
OCTAVIO.   Ea, prosigue.
RIPIO.   Ya prosigo. +
¿Quiérete Isabela a ti?   215
OCTAVIO.   ¿Eso, necio, has de dudar?

---

15 calma; tristeza.

RIPIO.
No; mas quiero preguntar:
¿y tú, no la quieres?

OCTAVIO.
                              Sí.

RIPIO.
        Pues ¿no seré majadero,
y de solar conocido,   220
si pierdo yo mi sentido
por quien me quiere y la quiero?
        Si ella a ti no te quisiera,
fuera bien el porfiarla [16],
regalarla y adorarla,   225
y aguardar que se rindiera;
        mas si los dos os queréis
con una misma igualdad,
dime: ¿hay más dificultad
de que luego os desposéis?   230

OCTAVIO.
        Eso fuera, necio, a ser
de lacayo o lavandera
la boda.

RIPIO.
                  Pues, ¿es quienquiera
una lavandriz mujer,
        lavando y fregatrizando [17],   235
defendiendo y ofendiendo,
los paños suyos tendiendo,
regalando y remendando?
        Dando dije, porque al dar [18]
no hay cosa que se le iguale,   240
y si no a Isabela dale,
a ver si sabe tomar.

Sale un CRIADO

CRIADO.
        El embajador de España
en este punto se apea
en el zaguán, y desea,   245

---

16 porfiarla; perseguirla.
17 lavandriz, fregatrizando; adjetivación y verbalización cómicas del gracioso.
18 Se refiere a la terminación de 'remendando'; juego de palabras con que deja asentado Ripio que, en tratándose de amor, todas las mujeres son iguales.

con ira y fiereza extraña,
  hablarte, y si no entendí
yo mal, entiendo es prisión.

OCTAVIO.   ¡Prisión! Pues ¿por qué ocasión?
Decid que entre.

Entra DON PEDRO TENORIO, *con guardas*

DON PEDRO.   Quien así   250
con tanto descuido duerme,
limpia tiene la conciencia.

OCTAVIO. Cuando viene vuexcelencia
a honrarme y favorecerme
  no es justo que duerma yo;   255
velaré toda mi vida.
¿A qué y por qué es la venida?

DON PEDRO. Porque así el rey me envió.

OCTAVIO.   Si el rey, mi señor, se acuerda
de mí en aquesta ocasión,   260
será justicia y razón
que por él la vida pierda.
  Decidme, señor, ¿qué dicha
o qué estrella me ha guiado,
que de mí el rey se ha acordado?   265

DON PEDRO. Fue, duque, vuestra desdicha.
  Embajador del rey soy;
de él os traigo una embajada.

OCTAVIO. Marqués, no me inquieta nada;
decid, que aguardando estoy.   270

DON PEDRO.   A prenderos me ha enviado
el rey; no os alborotéis.

OCTAVIO. ¡Vos por el rey me prendéis!
Pues ¿en qué he sido culpado?

DON PEDRO.   Mejor lo sabéis que yo;   275
mas, por si acaso me engaño,
escuchad el desengaño,
y a lo que el rey me envió.
  Cuando los negros gigantes,

plegando funestos toldos, +   280
ya del crepúsculo huyen, +
tropezando unos con otros,
estando yo con su alteza
tratando ciertos negocios
—porque antípodas del sol   285
son siempre los poderosos—,
voces de mujer oímos
cuyos ecos, menos roncos
por los artesones sacros,
nos repitieron «¡socorro!»   290
A las voces y al ruido
acudió, duque, el rey propio,
halló a Isabela en los brazos
de algún hombre poderoso;
mas quien al cielo se atreve,   295
sin duda es gigante o monstruo.
Mandó el rey que los prendiera;
quedé con el hombre solo;
llegué y quise desarmarle;
pero pienso que el Demonio   300
en él tomó forma humana,
pues que, vuelto en humo y polvo,
se arrojó por los balcones,
entre los pies de esos olmos
que coronan, del palacio,   305
los chapiteles hermosos.
Hice prender la duquesa,
y en la presencia de todos
dice que es el duque Octavio
el que con mano de esposo   310
la gozó.

OCTAVIO.   ¿Qué dices?

DON PEDRO.   Digo
lo que al mundo es ya notorio
y que tan claro se sabe:
que Isabela por mil modos...

Octavio.	Dejadme, no me digáis	315
	tan gran traición de Isabela.	
	Mas si fue su honor cautela [19],	
	proseguid, ¿por qué calláis?	
	Mas si veneno me dais,	
	que a un firme corazón toca [20],	320
	y así a decir me provoca,	
	que imita a la comadreja,	
	que concibe por la oreja	
	para parir por la boca [21].	

¿Será verdad que Isabela,   325
alma, se olvidó de mí
para darme muerte? Sí,
que el bien suena y el mal vuela [22].
Ya el pecho nada recela
juzgando si son antojos;   330
que, por darme más enojos,
al entendimiento entró,
y por la oreja escuchó
lo que acreditan los ojos [23].

Señor marqués, ¿es posible   335
que Isabela me ha engañado,
y que mi amor ha burlado?
¡Parece cosa imposible!
¡Oh, mujer! ¡Ley tan terrible
de honor, a quien me provoco   340
a emprender! Mas ya no toco
en tu honor esta cautela [24].
¿Anoche con Isabela
hombre en palacio?... Estoy loco.

---

19 cautela; engaño.
20 Pero no tenéis que proseguir, pues lo que habéis dicho ya me toca el corazón.
21 Antigua leyenda acerca de la comadreja. Dice que las palabras de Don Pedro provocan las suyas.
22 El proverbio sugiere la inclinación a creer lo peor.
23 Ya está el corazón convencido de que es verdad la mala noticia; pues al entendimiento ha llegado, por la oreja, el testimonio de lo visto (por Don Pedro).
24 Estoy obligado a la terrible ley del honor, aunque todavía (ya) no pueda relacionar este engaño con el honor de Isabela.

DON PEDRO.	Como es verdad que en los vientos	345
	hay aves, en el mar peces,	
	que participan a veces	
	de todos cuatro elementos;	
	como en la gloria hay contentos,	
	lealtad en el buen amigo,	350
	traición en el enemigo,	
	en la noche oscuridad	
	y en el día claridad,	
	así es verdad lo que digo.	
OCTAVIO.	Marqués, yo os quiero creer.	355
	Ya no hay cosa que me espante, +	
	que la mujer más constante	
	es, en efecto, mujer.	
	No me queda más que ver,	
	pues es patente mi agravio.	360
DON PEDRO.	Pues que sois prudente y sabio,	
	elegid el mejor medio.	
OCTAVIO.	Ausentarme es mi remedio.	
DON PEDRO.	Pues sea presto, duque Octavio.	
OCTAVIO.	Embarcarme quiero a España,	365
	y darle a mis males fin [25].	
DON PEDRO.	Por la puerta del jardín,	
	duque, esta prisión se engaña.	
OCTAVIO.	¡Ah, veleta! ¡Débil caña!	
	A más furor me provoco,	370
	y extrañas provincias toco	
	huyendo de esta cautela.	
	¡Patria, adiós! ¿Con Isabela	
	hombre en palacio? ¡Estoy loco!	

Vanse y sale TISBEA, *pescadora, con una caña de pescar en la mano*

TISBEA.

Yo, de cuantas el mar,—   375
pies de jazmín y rosa,—

---

25 darle; darles, uso común de la época.

en sus riberas besa
con fugitivas olas,
sola de amor exenta,
como en ventura sola,   380
tirana me reservo
de sus prisiones locas.
Aquí donde el sol pisa
soñolientas las ondas,
alegrando zafiros   385
las que espantaba sombras [26],
por la menuda arena,
(unas veces aljófar
y átomos otras veces
del sol que así la adora) [27],   390
oyendo de las aves
las quejas amorosas,
y los combates dulces
del agua entre las rocas;
ya con la sutil caña   395
que al débil peso dobla
del necio pececillo
que el mar salado azota;
o ya con la atarraya [28]
(que en sus moradas hondas   400
prenden cuantos habitan
aposentos de conchas) [29],
segura me entretengo [30], +
que en libertad se goza
el alma que amor áspid [31]   405

---

26 El sol cae sobre las ondas, de madrugada; y alegra ahora, azules
en la mañana, a las que espantaba cuando reflejaban la oscuridad de la
noche.

27 El sol esmalta con su brillo la arena, que unas veces parece aljófar
y otras átomos del mismo sol, que así le manifiesta su amor.

28 atarraya; red de pescar.

29 En la red se prenden los peces que habitan entre las conchas del
fondo.

30 Este verso sigue, después del largo enciso, al verso 387.

31 Amor áspid; amor venenoso. Tirso usaba a menudo esta forma de
sustantivo adjetivado.

no le ofende ponzoña *.
En pequeñuelo esquife,
y en compañía de otras +,
tal vez al mar le peino
la cabeza espumosa;   410
y cuando más perdidas
querellas de amor forman,
como de todo río,
envidia soy de todas.
¡Dichosa yo mil veces,   415
amor, pues me perdonas,
si ya, por ser humilde [32],
no desprecias mi choza!
Obeliscos de paja
mi edificio coronan,   420
nidos, si no hay cigarras [33],
a tortolillas locas +.
Mi honor conservo en pajas,
como fruta sabrosa,
vidrio guardado en ellas   425
para que no se rompa.
De cuantos pescadores,
con fuego Tarragona
de piratas defiende
en la argentada costa,   430
desprecio, soy encanto [34];
a sus suspiros, sorda;
a sus ruegos, terrible;
a sus promesas, roca.
Anfriso, a quien el cielo   435
con mano poderosa,

la gente del campo También tiene honor y orgullo

ella tiene honor donde Don Juan no tiene.

---

* Este verso tendría más sentido si se leyera 'ofrenda' en vez de 'ofende', verbo intransitivo.
Mejor lectura también es 'ofrece'.
32 si ya; aunque.
33 Las pajas de la choza sirven de nido a las tórtolas (símbolos de amor) si no hay cigarras. La oposición puede deberse a estación, pues asociamos a la cigarra con el estío y el nidar de las aves con la primavera.
34 De todos los pescadores que desprecio (cuantos hay en la costa de Tarragona) soy el encanto.

prodigio en cuerpo y alma,
dotó en gracias todas +,
medido en las palabras,
liberal en las obras,   440
sufrido en los desdenes,
modesto en las congojas,
mis pajizos umbrales,
que heladas noches ronda,
a pesar de los tiempos,   445
las mañanas remoza [35];
pues con los ramos verdes +
que de los olmos corta,
mis pajas amanecen
ceñidas de lisonjas.   450
Ya con vigüelas dulces
y sutiles zampoñas
músicas me consagra;
y todo no me importa +,
porque en tirano imperio   455
vivo, de amor señora;
que halla gusto en sus penas
y en sus infiernos gloria.
Todas por él se mueren,
y yo, todas las horas,   460
le mato con desdenes:
de amor condición propia,
querer donde aborrecen,
despreciar donde adoran;
que si le alegran, muere,   465
y vive si le oprobian.
En tan alegre día
segura de lisonjas,
mis juveniles años
amor no los malogra;   470
que en edad tan florida,

El fuego alude a las señales con que se prevenían los ataques de piratas,
pero asociado con los enamorados de Tisbea introduce ya el paralelo
amor-fuego que es central a la escena.

amor, no es suerte poca
no ver, tratando en redes *,
las tuyas amorosas.
Pero, necio discurso   475
que mi ejercicio estorbas,
en él no me diviertas [36]
en cosa que no importa.
Quiero entregar la caña
al viento, y a la boca   480
del pececillo el cebo +.
Pero al agua se arrojan
dos hombres de una nave,
antes que el mar la sorba,
que sobre el agua viene   485
y en un escollo aborda;
como hermoso pavón [37],
hace las velas cola,
adonde los pilotos
todos los ojos pongan.   490
Las olas va escarbando;
y ya su orgullo y pompa
casi la desvanece [38].
Agua un costado toma...
Hundióse y dejó al viento   495
la gavia, que la escoja
para morada suya,
que un loco en gavias mora [39].
        (Dentro: ¡Que me ahogo!) *
Un hombre al otro aguarda

seis two men — Don Juan y Catalinón

---

35 Todas las mañanas Anfriso trae nuevos ramos verdes, con los que quedan remozadas las pajas de su choza.
* Corregimos, según sugiere Casalduero, por 'no ver, tratando enredos'.
36 diviertas; distraigas.
37 Al encallar, quedan tendidas las velas, y la nave, como pavón, las lleva como cola. Las velas, como cola de pavón, requieren, para ser completas, tomar los ojos de los pilotos como parte de su diseño.
38 Sigue la metáfora del pavón: 'escarbando', que con revelar las patas deshace el envanecimiento.
39 Gavía; cofa del navío y jaula de palo para locos. Llama al viento loco.
* Acotación no cuenta para el verso.

que dice que se ahoga.   500
¡Gallarda cortesía!
En los hombros le toma.
Anquises le hace Eneas,
si el mar está hecho Troya [40].
Ya, nadando, las aguas   505
con valentía corta,
y en la playa no veo
quien le ampare y socorra.
Daré voces: ¡Tirseo,
Anfriso, Alfredo, hola!   510
Pescadores me miran,
¡plega a Dios que me oigan!
Mas milagrosamente
ya tierra los dos toman:
sin aliento el que nada,   515
con vida el que le estorba.

Saca en brazos CATALINÓN *a* DON JUAN, *mojados*   *casi muerto*

CATALINÓN.   ¡Válgame la cananea [41],
                  y qué salado está el mar!
                  Aquí puede bien nadar
                  el que salvarse desea,   520
                     que allá dentro es desatino,
                  donde la muerte se fragua;
                  donde Dios juntó tanta agua,
                  no juntara tanto vino.
                     Agua salada: ¡extremada   525
                  cosa para quien no pesca!
                  Si es mala aun el agua fresca,
                  ¿qué será el agua salada?
                     ¡Oh, quien hallara una fragua
                  de vino, aunque algo encendido! [42]   530

40 El mar está en tormenta (hecho Troya), y, como Eneas a su padre
Anquises en la terrible destrucción de esa ciudad, un náufrago toma al
otro sobre sus hombros para salvarle.
41 Juramento ridículo del gracioso, posible deformación de 'hacanea'.
42 Aunque disparatado, como del gracioso, éste ha de tener en cuenta,
para la asociación entre 'vino' y 'fragua', a Vulcano.

Si del agua que he bebido +
escapo yo, no más agua.

    Desde hoy abernuncio de ella [43],
que la devoción me quita
tanto, que aun agua bendita +   535
no pienso ver, por no vella [44].

    ¡Ah, señor! Helado y frío +
está. ¿Si estará ya muerto?
Del mar fue este desconcierto,
y mío este desvarío.   540

    ¡Mal haya aquel que primero
pinos en la mar sembró,
y que sus rumbos midió
con quebradizo madero! [45]

    ¡Maldito sea el vil sastre   545
que cosió el mar que dibuja
con astronómica aguja,
causa de tanto desastre! [46]

    ¡Maldito sea Jasón,
y Tifis maldito sea! [47]   550
Muerto está, no hay quien lo crea;
¡mísero Catalinón!

    ¿Qué he de hacer?

TISBEA.   Hombre, ¿qué tienes
en desventuras iguales?

CATALINÓN.   Pescadora, muchos males,   555
y falta de muchos bienes.

    Veo, por librarme a mí,
sin vida a mi señor. Mira
si es verdad.

TISBEA.   No, que aún respira.

---

43 abernuncio; renuncio.
44 vella; verla.
45 'pinos en la mar sembró'; lanzó barcos al mar y los cruzó en ellos.
46 Esta extensión conceptuosísima de la metáfora se comprende mejor
si el ataque va contra el cartógrafo y no, como parece primero, contra
el inventor de la brújula. Sin la visión gráfica de un mapa, en que aparecen, como era costumbre, los puntos cardinales con símbolos que parecen
agujas, es incomprensible el 'dibuja' de la metáfora.
47 Jasón, Tifis; jefe y piloto de los argonautas.

CATALINÓN.	¿Por dónde? ¿Por aquí?
TISBEA.	Sí; 560
	pues ¿por dónde?
CATALINÓN.	Bien podía
	respirar por otra parte [48].
TISBEA.	Necio estás.
CATALINÓN.	Quiero besarte
	las manos de nieve fría.
TISBEA.	Ve a llamar los pescadores 565
	que en aquella choza están.
CATALINÓN.	Y si los llamo, ¿vernán? [49]
TISBEA.	Vendrán presto, no lo ignores.
	¿Quién es este caballero?
CATALINÓN.	Es hijo aqueste señor [50] 570
	del camarero mayor
	del rey, por quien ser espero
	antes de seis días conde
	en Sevilla, donde va,
	y adonde su alteza está, 575
	si a mi amistad corresponde.
TISBEA.	¿Cómo se llama?
CATALINÓN.	Don Juan
	Tenorio.
TISBEA.	Llama mi gente.
CATALINÓN.	Ya voy.

Coge en el regazo TISBEA *a* DON JUAN

TISBEA.	Mancebo excelente,
	gallardo, noble y galán. 580
	Volved en vos, caballero.
DON JUAN.	¿Dónde estoy?
TISBEA.	Ya podéis ver:
	en brazos de una mujer.

---

48 Chiste sucio muy propio del gracioso.
49 vernán; vendrán.
50 aqueste; este.
Los vv. 572-576 tienen sentido si Catalinón se burla de Tisbea, o miente por darse importancia.

DON JUAN.   Vivo en vos, si en el mar muero.
                  Ya perdí todo el recelo   585
             que me pudiera anegar,
             pues del infierno del mar
             salgo a vuestro claro cielo.
                  Un espantoso huracán
             dio con mi nave al través,   590
             para arrojarme a esos pies
             que abrigo y puerto me dan.
                  Y en vuestro divino oriente
             renazco, y no hay que espantar,
             pues veis que hay de amar a mar   595
             una letra solamente[51].

TISBEA.   Muy grande aliento tenéis
             para venir soñoliento,
             y más de tanto tormento
             mucho tormento ofrecéis[52].   600
                  Pero si es tormento el mar
             y son sus ondas crueles,
             la fuerza de los cordeles,
             pienso que os hace hablar[53].
                  Sin duda que habéis bebido   605
             del mar la oración pasada,
             pues, por ser de agua salada,
             con tan grande sal ha sido.
                  Mucho habláis cuando no habláis,
             y cuando muerto venís   610
             mucho al parecer sentís;
             ¡plega a Dios que no mintáis!
                  Parecéis caballo griego
             que el mar a mis pies desagua,

---

51 Tisbea es la cuna oriental en que el sol (Don Juan) renace todos los días. Su comparación con el sol puede ser aún más extensa, pues el renacer sigue a la caída en el mar.
El juego de 'amar' y 'mar' es corriente en la época.
52 Mucha fuerza traéis para uno que llega sin sentido, y encima de tanto tormento (el sufrido por Don Juan) mucho tormento (de amor) venís ofreciendo.
53 El juego sobre 'tormento' trae al pensamiento de Tisbea el 'cordel', instrumento de tortura.

pues venís formado de agua, 615
y estáis preñado de fuego [54].
　　Y si mojado abrasáis,
estando enjuto, ¿qué haréis? [55]
Mucho fuego prometéis;
¡plega a Dios que no mintáis! 620

DON JUAN. 　　A Dios, zagala, pluguiera
que en el agua me anegara
para que cuerdo acabara
y loco en vos no muriera;
　　que el mar pudiera anegarme 625
entre sus olas de plata
que sus límites desata [56];
mas no pudiera abrasarme.
　　Gran parte del sol mostráis,
pues que el sol os da licencia, 630
pues sólo con la apariencia,
siendo de nieve abrasáis.

TISBEA. 　　Por más helado que estáis,
tanto fuego en vos tenéis,
que en este mío os ardéis. 635
¡Plega a Dios que no mintáis!

Salen CATALINÓN, CORIDÓN *y* ANFRISO, *pescadores*

CATALINÓN. Ya vienen todos aquí.
TISBEA. Y ya está tu dueño vivo.
DON JUAN. Con tu presencia recibo
el aliento que perdí. 640
CORIDÓN. ¿Qué nos mandas?
TISBEA. 　　　　　　　　　Coridón,
Anfriso, amigos...
CORIDÓN. 　　　　　　　　Todos
buscamos por varios modos
esta dichosa ocasión.

---

54 Se refiere al caballo de Troya, dentro del cual lograron los griegos
entrar en esa ciudad.
55 enjuto; seco.
56 Las olas rompen los límites del mar.

Di que nos mandas, Tisbea +, 645
que por labios de clavel
no lo habrás mandado a aquel
que idolatrarte desea,
 apenas, cuando al momento,
sin cesar, en llano o sierra, 650
surque el mar, tale la tierra,
pise el fuego, el aire, el viento.

TISBEA. *(Aparte.)* ¡Oh, que mal me parecían
estas lisonjas ayer,
y hoy echo en ellas de ver 655
que sus labios no mentían!—
 Estando, amigos, pescando
sobre este peñasco, vi
hundirse una nave allí,
y entre las olas nadando 660
 dos hombres; y compasiva,
di voces, que nadie oyó;
y en tanta aflición, llegó
libre de la furia esquiva
 del mar, sin vida a la arena, 665
de éste en los hombros cargado,
un hidalgo ya anegado +,
y envuelta en tan triste pena
 a llamaros envié.

ANFRISO. Pues aquí todos estamos, 670
manda que tu gusto hagamos,
lo que pensado no fue.

TISBEA. Que a mi choza los llevemos
quiero, donde, agradecidos,
reparemos sus vestidos, 675
y allí los regalaremos; +
 que mi padre gusta mucho
de esta debida piedad.

CATALINÓN. ¡Extremada es su beldad!

DON JUAN. Escucha aparte.

CATALINÓN.   Ya escucho. 680

DON JUAN.	Si te pregunta quién soy, di que no sabes.
CATALINÓN.	¡A mí... quieres advertirme a mí lo que he de hacer! [57]
DON JUAN.	Muerto voy por la hermosa pescadora +. 685 Esta noche he de gozalla [58].
DON JUAN.	¿De qué suerte?
CATALINÓN.	Ven y calla.
CORIDÓN.	Anfriso: dentro de un hora los pescadores prevén + que canten y bailen.
ANFRISO.	Vamos, 690 y esta noche nos hagamos rajas y palos también [59].
DON JUAN.	Muerto soy.
TISBEA.	¿Cómo, si andáis?
DON JUAN.	Ando en pena, como véis.
TISBEA.	Mucho habláis.
DON JUAN.	Mucho entendéis. 695
TISBEA.	¡Plega a Dios que no mintáis!

(*Vanse.*)

Sale DON GONZALO DE ULLOA y *el* REY DON ALFONSO DE CASTILLA

REY.	¿Cómo os ha sucedido en la embajada, comendador mayor?
D. GONZALO.	Hallé en Lisboa al rey don Juan, tu primo, previniendo [60] treinta naves de armada.
REY.	¿Y para dónde? 700

---

57 Ironía del gracioso, que ya se lo ha dicho todo a Tisbea.
58 gozalla; gozarla.
59 rajas; hechos pedazos de tanto bailar. De ahí el juego de palabras con 'palos', rajas de madera.
60 Como todos sus contemporáneos, Tirso no sigue una cronología histórica. Aquí, por ejemplo, se trata de Alfonso XI de Castilla, muerto en 1350, y Juan I de Portugal, muerto en 1433.

D. Gonzalo.	Para Goa me dijo; mas yo entiendo
	que a otra empresa más fácil apercibe.
	A Ceuta o Tánger pienso que pretende
	cercar este verano.
Rey.	Dios le ayude,
	y premie el celo de aumentar su gloria +. 705
	¿Qué es lo que concertasteis?
D. Gonzalo.	Señor, pide
	a Serpa y Mora, y Olivencia y Toro;
	y por eso te vuelve a Villaverde,
	al Almendral, a Mértola y Herrera
	entre Castilla y Portugal.
Rey.	Al punto 710
	se firmen los conciertos, don Gonzalo.
	Mas decidme primero cómo ha ido
	en el camino, que vendréis cansado
	y alcanzado también.
D. Gonzalo.	Para serviros [61],
	nunca, señor, me canso.
Rey.	¿Es buena tierra 715
	Lisboa?
D. Gonzalo.	La mayor ciudad de España [62];
	y si mandas que diga lo que he visto
	de lo exterior y célebre, en un punto
	en tu presencia te pondré un retrato.
Rey.	Yo gustaré de oirlo. Dadme silla. + 720
D. Gonzalo.	Es Lisboa una octava maravilla.
	De las entrañas de España,
	que son las tierras de Cuenca,
	nace el caudaloso Tajo,
	que media España atraviesa. 725
	Entra en el mar Oceano,
	en las sagradas riberas
	de esta ciudad, por la parte
	del sur; mas antes que pierda

---

61 Alcanzado; necesitado, con privaciones, en cuyo caso el rey se refiere a las incomodidades de viajar.
62 Portugal era de España cuando escribía Tirso.

su curso y su claro nombre,   730
hace un puerto entre dos sierras [+],
donde están de todo el orbe [+]
barcas, naves, carabelas.
Hay galeras y saetías
tantas, que desde la tierra   735
parece una gran ciudad
adonde Neptuno reina [63].
A la parte del poniente
guardan del puerto dos fuerzas
de *Cascaes* y *San Gian,*   740
las más fuertes de la tierra.
Está, de esta gran ciudad,
poco más de media legua,
Belén, convento del santo [64]
conocido por la piedra,   745
y por el león de guarda,
donde los reyes y reinas
católicos y cristianos
tienen sus casas perpetuas.
Luego esta máquina insigne,   750
desde Alcántara comienza [65]
una gran legua a tenderse
al convento de Jabregas [+].
En medio está el valle hermoso
coronado de tres cuestas,   755
que quedara corto Apeles
cuando pintarlas quisiera [+];
porque, miradas de lejos,
parecen piñas de perlas
que están pendientes del cielo,   760
en cuya grandeza inmensa
se ven diez Romas cifradas
en conventos y en iglesias,

63 Neptuno; dios romano del mar.
64 Convento de jerónimos, construido por Manuel I (1499) en conme-
moración del descubrimiento de la India.
65 Alcántara; arroyo que separa a Belén de Lisboa.

en edificios y calles,
en solares y encomiendas, 765
en las letras y en las armas,
en la justicia tan recta,
y en una *Misericordia* [66]
que está honrando su ribera,
y pudiera honrar a España 770
y aun enseñar a tenerla [67].
Y en lo que yo más alabo
de esta máquina soberbia,
es que del mismo castillo
en distancia de seis leguas, 775
se ven sesenta lugares
que llega el mar a sus puertas,
uno de los cuales es
el convento de Odivelas +,
en el cual vi por mis ojos 780
seiscientas y treinta celdas,
y entre monjas y beatas
pasan de mil y doscientas.
Tiene desde allí Lisboa +,
en distancia muy pequeña, 785
mil y ciento y treinta quintas,
que en nuestra provincia Bética
llaman cortijos, y todas
con sus huertos y alamedas.
En medio de la ciudad 790
hay una plaza soberbia
que se llama del *Rucío,*
grande, hermosa y bien dispuesta,
que habrá cien años y aun más
que el mar bañaba su arena, 795
y ahora de ella a la mar
hay treinta mil casas hechas,

---

66 Misericordia; cofradía de Nuestra Señora fundada en 1498.
67 Ataques contra la falta de virtudes patrias no eran raros en la época de Tirso.

que, perdiendo el mar su curso,
se tendió a partes diversas.
Tiene una calle que llaman   800
rua Nova o calle Nueva,
donde se cifra el Oriente
en grandezas y riquezas [68],
tanto, que el rey me contó
que hay un mercader en ella   805
que, por no poder contarlo,
mide el dinero a fanegas.
El terrero, donde tiene [69]
Portugal su casa regia,
tiene infinitos navíos,   810
varados siempre en la tierra [70],
de sólo cebada y trigo
de Francia y Ingalaterra [71].
Pues el palacio real,
que el Tajo sus manos besa,   815
es edificio de Ulises [72],
que basta para grandeza,
de quien toma la ciudad
nombre en la latina lengua,
llamándose Ulisibona,   820
cuyas armas son la esfera,
por pedestal de las llagas
que en la batalla sangrienta
al rey don Alfonso Enríquez +
dio la Majestad Inmensa [73].   825
Tiene en su gran tarazana [74]
diversas naves, y entre ellas,

---

68   Se refiere a los objetos y mercancías traídos de Oriente, de la India.
69   Terrero; 'o terreiro do Paço', la plaza del palacio real.
70   varados; anclados en el puerto.
71   Ingalaterra; Inglaterra.
72   Se refiere a la leyenda de que Lisboa fue fundada por Ulises.
73   Las quinas del escudo portugués, que representan las cinco heridas de Cristo, y que fueron entregadas, según leyenda, al rey citado por Dios mismo.
74   tarazana; arsenal.

las naves de la conquista [75],
tan grandes, que de la tierra
miradas, juzgan los hombres   830
que tocan en las estrellas.
Y lo que de esta ciudad
te cuento por excelencia
es, que estando sus vecinos
comiendo, desde las mesas   835
ven los copos del pescado
que junto a sus puertas pescan,
que, bullendo entre las redes,
vienen a entrarse por ellas;
y sobre todo, el llegar +   840
cada tarde a su ribera
más de mil barcos cargados
de mercancías diversas,
y de sustento ordinario:
pan, aceite, vino y leña,   845
frutas de infinita suerte,
nieve de Sierra de Estrella
que por las calles a gritos,
puesta sobre las cabezas,
las venden. Mas ¿qué me canso?   850
porque es contar las estrellas
querer contar una parte
de la ciudad opulenta.
Ciento y treinta mil vecinos
tiene, gran señor, por cuenta,   855
y por no cansarte más,
un rey que tus manos besa.

REY. Más estimo, don Gonzalo,
escuchar de vuestra lengua
esa relación sucinta,   860
que haber visto su grandeza.
¿Tenéis hijos?

---

75 Las naves mencionadas en el verso 700.

D. GONZALO.	Gran señor,
	una hija hermosa y bella,
	en cuyo rostro divino
	se esmeró naturaleza. 865
REY.	Pues yo os la quiero casar
	de mi mano.
D. GONZALO.	Como sea
	tu gusto, digo, señor,
	que yo lo acepto por ella.
	Pero ¿quién es el esposo? 870
REY.	Aunque no está en esta tierra,
	es de Sevilla, y se llama
	don Juan Tenorio.
D. GONZALO.	Las nuevas
	voy a llevar a doña Ana.
	.... *
REY.	Id en buen hora, y volved, 875
	Gonzalo, con la respuesta.

Vanse y sale DON JUAN TENORIO y CATALINÓN

DON JUAN.	Esas dos yeguas prevén,
	pues acomodadas son.
CATALINÓN.	Aunque soy Catalinón [76],
	soy, señor, hombre de bien; 880
	que no se dijo por mí:
	«Catalinón es el hombre»;
	que sabes que aquese nombre
	me sienta al revés a mí.
DON JUAN.	Mientras que los pescadores 885
	van de regocijo y fiesta,
	tú las dos yeguas apresta,
	que de sus pies voladores
	sólo nuestro engaño fío.
CATALINÓN.	Al fin ¿pretendes gozar 890
	a Tisbea?

---

* Falta un verso para el romance, pero no para el sentido.
76 Catalinón; cobarde, afeminado.

DON JUAN.	Si burlar es hábito antiguo mío, ¿qué me preguntas, sabiendo mi condición?
CATALINÓN.	Ya sé que eres castigo de las mujeres.
DON JUAN.	Por Tisbea estoy muriendo, ques es buena moza.
CATALINÓN.	¡Buen pago a su hospedaje deseas!
DON JUAN.	Necio, lo mismo hizo Eneas con la reina de Cartago [77].
CATALINÓN.	Los que fingís y engañáis las mujeres de esa suerte, lo pagaréis con la muerte.
DON JUAN.	¡Qué largo me lo fiáis! Catalinón con razón te llaman.
CATALINÓN.	Tus pareceres sigue, que en burlar mujeres quiero ser Catalinón. Ya viene la desdichada.
DON JUAN.	Vete, y las yeguas prevén.
CATALINÓN.	¡Pobre mujer! Harto bien te pagamos la posada.

Vase CATALINÓN *y* *sale* TISBEA

TISBEA.	El rato que sin ti estoy estoy ajena de mí.
DON JUAN.	Por lo que finges ansí, ningún crédito te doy [79].
TISBEA.	¿Por qué?
DON JUAN.	Porque, si me amaras, mi alma favorecieras.

895

900

905

910

915

---

77 Eneas abandonó a Dido, reina de Cartago, en *La Eneida.*
78 Este es el primer uso de una expresión que se identificará con el protagonista, y cuya repetición subraya la finalidad didáctico-religiosa de Tirso.
79 Tan bien ocultas tu amor que no lo puedo creer.

TISBEA.   Tuya soy.

DON JUAN.   Pues di, ¿qué esperas,
o en qué, señora, reparas?   920

TISBEA.   Reparo en que fue castigo
de amor el que he hallado en ti [80].

DON JUAN.   Si vivo, mi bien, en ti
a cualquier cosa me obligo.
                Aunque yo sepa perder   925
en tu servicio la vida,
la diera por bien perdida,
y te prometo de ser
        tu esposo.

TISBEA.   Soy desigual [81]
a tu ser.

DON JUAN.   Amor es rey   930
que iguala con justa ley
la seda con el sayal.

TISBEA.   Casi te quiero creer,
mas sois los hombres traidores.

DON JUAN.   ¿Posible es, mi bien, que ignores   935
mi amoroso proceder?
                Hoy prendes con tus cabellos
mi alma.

TISBEA.   Yo a ti me allano
bajo la palabra y mano
de esposo.

DON JUAN.   Juro, ojos bellos [82],   940
que mirando me matáis,
de ser vuestro esposo...

TISBEA.   Advierte,
mi bien, que hay Dios y que hay muerte.

DON JUAN.   (Aparte.) ¡Qué largo me lo fiáis! *
                Y mientras Dios me dé vida,   945

---

80 Tisbea se lamenta de que su amor parece, por imposible, castigo
por su pasada soberbia.
    81 desigual; inferior.
    82 Don Juan hace el juramento a los ojos de Tisbea.
    * Aunque no aparezca así en la edición de 1630, nos ha parecido que
sólo tiene sentido dicho 'aparte'.

	yo vuestro esclavo seré.	
	Esta es mi mano y mi fe.	
TISBEA.	No seré en pagarte esquiva.	
DON JUAN.	Ya en mí mismo no sosiego.	
TISBEA.	Ven, y será la cabaña	950
	del amor que me acompaña	
	tálamo de nuestro fuego.	
	Entre estas cañas te esconde	
	hasta que tenga lugar [83].	
DON JUAN.	¿Por dónde tengo de entrar?	955
TISBEA.	Ven y te diré por dónde.	
DON JUAN.	Gloria al alma, mi bien, dais.	
TISBEA.	Esa voluntad te obligue,	
	y si no, Dios te castigue.	
DON JUAN.	¡Qué largo me lo fiáis!	960

Vanse y sale CORIDÓN, ANFRISO, BELISA y MÚSICOS

CORIDÓN.	Ea, llamad a Tisbea,	
	y los zagales llamad,	
	para que en la soledad	
	el huésped la corte vea.	
ANFRISO.	¡Tisbea, Usindra, Atandria!	965
	No vi cosa más cruel.	
	¡Triste y mísero de aquel	
	que en su fuego es salamandria! [84] +	
	Antes que el baile empecemos	
	a Tisbea prevengamos.	970
BELISA.	Vamos a llamarla.	
CORIDÓN.	Vamos.	
BELISA.	A su cabaña lleguemos.	
CORIDÓN.	¿No ves que estará ocupada	
	con los huéspedes dichosos,	
	de quien hay mil envidiosos?	975
ANFRISO.	Siempre es Tisbea envidiada.	

---

83 lugar; tiempo, oportunidad.
84 salamandria; salamandra.
En la creencia popular de la época, la salamandra resistía el fuego; de ahí que el amante sin correspondencia se compare a ella.

BELISA.　　　　Cantad algo mientras viene,
　　　　　　　porque queremos bailar.

ANFRISO.　　　¿Cómo podrá descansar
　　　　　　　cuidado que celos tiene?　　　　　　　980
　　　　　　　　(Cantan:)

　　　　　　　A pescar salió la niña
　　　　　　　tendiendo redes;
　　　　　　　y, en lugar de peces,
　　　　　　　las almas prende.

　　　　　　　　　　　Sale TISBEA

TISBEA.　　　　¡Fuego, fuego, que me quemo,　　　　985
　　　　　　　que mi cabaña se abrasa!
　　　　　　　Repicad a fuego, amigos,
　　　　　　　que ya dan mis ojos agua [85].
　　　　　　　Mi pobre edificio queda
　　　　　　　hecho otra Troya en las llamas,　　　　990
　　　　　　　que después que faltan Troyas
　　　　　　　quiere amor quemar cabañas [86].
　　　　　　　Mas si amor abrasa peñas
　　　　　　　con gran ira y fuerza extraña,
　　　　　　　mal podrán de su rigor　　　　　　　995
　　　　　　　reservarse humildes pajas.
　　　　　　　¡Fuego, zagales, fuego, agua, agua!
　　　　　　　¡Amor, clemencia, que se abrasa el alma!
　　　　　　　¡Ay, choza, vil instrumento
　　　　　　　de mi deshonra y mi infamia!　　　　1000
　　　　　　　¡Cueva de ladrones fiera,
　　　　　　　que mis agravios ampara!
　　　　　　　Rayos de ardientes estrellas
　　　　　　　en tus cabelleras caigan,
　　　　　　　porque abrasadas estén, +　　　　　　1005

85　El fuego no es sólo metafórico. Es posible que Don Juan incendiara la cabaña para facilitar su fuga.
86　La causa legendaria de la destrucción de Troya fue el amor de París y Elena.

si del viento mal peinadas[87].
¡Ah, falso huésped, que dejas
una mujer deshonrada!
Nube que del mar salió
para anegar mis entrañas.   1010
¡Fuego, fuego, zagales, agua, agua!
¡Amor, clemencia, que se abrasa el alma!
Yo soy la que hacía siempre
de los hombres burla tanta;
que siempre las que hacen burla,   1015
vienen a quedar burladas.
Engañóme el caballero
debajo de fe y palabra
de marido, y profanó
mi honestidad y mi cama.   1020
Gozóme al fin, y yo propia
le di a su rigor las alas [88]
en dos yeguas que crié,
con que me burló y se escapa.
Seguidle todos, seguidle.   1025
Mas no importa que se vaya,
que en la presencia del rey
tengo de pedir venganza.
¡Fuego, fuego, zagales, agua, agua!
¡Amor, clemencia, que se abrasa el alma!
                                        [1030
                         Vase TISBEA.

CORIDÓN.   Seguid al vil caballero.
ANFRISO.   ¡Triste del que pena y calla!
             Mas ¡vive el cielo! que en él,
             me he de vengar de esta ingrata.
             Vamos tras ella nosotros,   1035
             porque va desesperada,
             y podrá ser que ella vaya
             buscando mayor desgracia.

---

87 Se refiere a las pajas con que está construida su cabaña. Que se
quemen y que el viento las deshaga.
88 rigor; crueldad.

CORIDÓN.	Tal fin la soberbia tiene.
	¡Su locura y confianza * 1040
	paró en esto!
	(*Dice* TISBEA *dentro*: ¡Fuego, fuego!) *
ANFRISO.	Al mar se arroja.
CORIDÓN.	Tisbea, detente y para.
TISBEA.	¡Fuego, fuego, zagales, agua, agua!
	¡Amor, clemencia, que se abrasa el alma!

[Handwritten annotation: Paradox — fire came from the sea – returns to the sea – quench the fire.]

---

* Verso corto que alcanza su medida deshaciendo el diptongo.
* Acotación que no cuenta para el verso.

JORNADA SEGUNDA

Sale el REY DON ALONSO *y* DON DIEGO TENORIO, *de barba*

REY.	¿Qué me dices?
DON DIEGO.	Señor, la verdad digo.

Por esta carta estoy del caso cierto,
que es de tu embajador y de mi hermano:
halláronle en la cuadra del rey mismo
con una hermosa dama de palacio.   5

REY.	¿Qué calidad?
DON DIEGO.	Señor, es la duquesa +

Isabela.

REY.	¿Isabela?
DON DIEGO.	Por lo menos...
REY.	¡Atrevimiento temerario! ¿Y dónde

ahora está?

DON DIEGO.	Señor, a vuestra alteza

no he de encubrirle la verdad; anoche   10
a Sevilla llegó con un criado.

REY.	Ya conocéis, Tenorio, que os estimo,

y al rey informaré del caso luego,
casando a ese rapaz con Isabela,
volviendo a su sosiego al duque Octavio,   15
que inocente padece; y luego al punto
haced que don Juan salga desterrado.

DON DIEGO.	¿Adónde, mi señor?
REY.	Mi enojo vea

en el destierro de Sevilla; salga
a Lebrija esta noche, y agradezca   20
sólo al merecimiento de su padre...

està en
Castilla
Sevilla

Pero, decid, don Diego, ¿qué diremos
a Gonzalo de Ulloa, sin que erremos?
Caséle con su hija, y no sé cómo
lo puedo ahora remediar.

DON DIEGO.   Pues mira,   25
gran señor, qué mandas que yo haga *
que esté bien al honor de esta señora,
hija de un padre tal.

REY.   Un medio tomo,
con que absolverlo del enojo entiendo [89]:
mayordomo mayor pretendo hacerle.   30

Sale un CRIADO

CRIADO.   Un caballero llega de camino,
y dice, señor, que es el duque Octavio.
REY.   ¿El duque Octavio?
CRIADO.   Sí, señor.
REY.   Sin duda
que supo de don Juan el desatino,
y que viene, incitado a la venganza,   35
a pedir que le otorgue desafío.
DON DIEGO.   Gran señor, en tus heroicas manos
está mi vida, que mi vida propia
es la vida de un hijo inobediente;
que, aunque mozo, gallardo y valeroso,   40
y le llaman los mozos de su tiempo
el Héctor de Sevilla, porque ha hecho
tantas y tan extrañas mocedades,
la razón puede mucho. No permitas [90]
el desafío, si es posible.
REY.   Basta   45
Ya os entiendo, Tenorio: honor de padre.
Entre el duque.

---

* Verso corto: podría leerse 'lo que mandas que yo haga'.
89 absolver; librar.
90 Héctor; héroe de Troya, por lo atrevido y valiente.
El padre espera que las mocedades (hazañas juveniles) del hijo queden corregidas al madurar su razón.

DON DIEGO.   Señor, dame esas plantas.
¿Cómo podré pagar mercedes tantas?

Sale el DUQUE OCTAVIO, *de camino*

OCTAVIO.   A esos pies, gran señor, un peregrino,
míssero y desterrado, ofrece el labio,   50
juzgando por más fácil el camino
en vuestra gran presencia.

REY.   Duque Octavio...

OCTAVIO.   Huyendo vengo el fiero desatino
de una mujer, el no pensado agravio
de un caballero que la causa ha sido   55
de que así a vuestros pies haya venido.

REY.   Ya, duque Octavio, sé vuestra inocencia.
Yo al rey escribiré que os restituya
en vuestro estado, puesto que el ausencia
que hicisteis algún daño os atribuya [91].   60
Yo os casaré en Sevilla con licencia
y también con perdón y gracia suya, +
que puesto que Isabela un ángel sea,
mirando la que os doy, ha de ser fea.
Comendador mayor de Calatrava   65
es Gonzalo de Ulloa, un caballero
a quien el moro por temor alaba,
que siempre es el cobarde lisonjero.
Este tiene una hija en quien bastaba
en dote la virtud, que considero   70
después de la beldad, que es maravilla; +
y el sol de ella es estrella de Castilla [92].
Esta quiero que sea vuestra esposa.

OCTAVIO.   Cuando este viaje le emprendiera
a sólo esto, mi suerte era dichosa   75
sabiendo yo que vuestro gusto fuera.

REY.   Hospedaréis al duque, sin que cosa
en su regalo falte.

---

91 puesto que; aunque, así también en el verso 63.
92 El poeta, jugando el contraste astronómico, dice que la belleza de Doña Ana es honra del país. Para el uso de 'sol' en este sentido, véase el verso 102.

OCTAVIO.   Quien espera
en vos, señor, saldrá de premios lleno.
Primero Alfonso sois, siendo el onceno.   80

Vase el REY *y* DON DIEGO, *y sale* RIPIO

RIPIO.   ¿Qué ha sucedido?
OCTAVIO.   Que he dado
el trabajo recibido,
conforme me ha sucedido,
desde hoy por bien empleado.
          Hablé al rey, vióme y honróme.   85
César con el César fui,
pues vi, peleé y vencí;
y hace que esposa tome
de su mano, y se prefiere [93]
a desenojar al rey   90
en la fulminada ley [94].
RIPIO.   Con razón el nombre adquiere
de generoso en Castilla.
Al fin, ¿te llegó a ofrecer
mujer?
OCTAVIO.   Sí, amigo, mujer   95
de Sevilla, que Sevilla
da, si averiguarlo quieres,
porque de oirlo te asombres,
si fuertes y airosos hombres,
también gallardas mujeres.   100
          Un manto tapado, un brío [95],
donde un puro sol se esconde,
si no es en Sevilla, ¿adónde
se admite? El contento mío
es tal que ya me consuela   105
en mi mal.

---

93 se prefiere; se ofrece.
94 En lo que toca al edicto que, por la cuestión de la duquesa Isabel, se ha proclamado contra mí.
95 Manto tapado; manto sirviendo de velo, para ocultar la faz coquetamente.
Brío: gallardía, espíritu.

Sale Don Juan y Catalinón

Catalinón.	Señor: detente,	
	que aquí está el duque, inocente	
	Sagitario de Isabela [96],	
	aunque mejor le diré +	
	Capricornio.	
Don Juan.	Disimula.	110
Catalinón.	Cuando le vende le adula.	
Don Juan.	Como a Nápoles dejé	
	por enviarme a llamar	
	con tanta prisa mi rey,	
	y como su gusto es ley,	115
	no tuve, Octavio, lugar	
	de despedirme de vos	
	de ningún modo.	
Octavio.	Por eso,	
	don Juan amigo, os confieso [97]	
	que hoy nos juntamos los dos	120
	en Sevilla.	
Don Juan.	¡Quién pensara,	
	duque, que en Sevilla os viera	
	para que en ella os sirviera,	
	como yo lo deseara! *	
	Mas aunque es lugar *	125
	Nápoles tan excelente,	
	por Sevilla solamente	
	se puede, amigo, dejar.	
Octavio.	Si en Nápoles os oyera	
	y no en la parte que estoy,	130
	del crédito que ahora os doy	

(anotación manuscrita: Pone buena cara.)

---

96 sagitario; expresión germanesca: el delincuente que sufre castigo público. Se comprende el 'inocente' con que le califica Catalinón.

Sagitario es, asimismo, un Signo del Zodíaco; de ahí el chiste astronómico del gracioso.

97 Los dos disimulan bien. La mentira de Don Juan se comprende; y la expresión de Octavio, de cortesía exagerada, suena igualmente falsa.

* Como otros editores modernos, sustituimos 'deseara' por 'deseaba', que trae la edición de 1630.

* Acortamos el verso de la edición de 1630 (Dejáis, mas aunque es lugar), por ser ininteligible.

sospecho que me riera.
Mas llegándola a habitar
es, por lo mucho que alcanza [98],
corta cualquiera alabanza   135
que a Sevilla queráis dar.
¿Quién es el que viene allí?

Don Juan.   El que viene es el marqués
de la Mota.

Octavio.   Descortés
es fuerza ser.

Don Juan.   Si de mí   140
algo hubiereis menester,
aquí espada y brazo está. [99] +

Catalinón. [Ap.] Y si importa gozará
en su nombre otra mujer,
que tiene buena opinión.   145

Octavio.   De vos estoy satisfecho.

Catalinón. Si fuere de algún provecho,
señores, Catalinón,
vuarcedes continuamente
me hallarán para servillos [100].   150

Ripio.   ¿Y dónde?

Catalinón.   En Los Pajarillos,
tabernáculo excelente.

Vase Octavio y Ripio, y *sale el* marqués de la Mota

Mota.   Todo hoy os ando buscando,
y no os he podido hallar.
¿Vos, don Juan, en el lugar,   155
y vuestro amigo penando
en vuestra ausencia?

---

98 alcanza; contiene.
99 Este diálogo cobra sentido si se tiene en cuenta que el duque Octavio puede haber oído algo de la relación amorosa que existe (como sabrá
el lector en seguida) entre el marqués de la Mota y Doña Ana de Ulloa,
con quien el rey acaba de casarle.
100 servillos; servirlos.

DON JUAN.   ¡Por Dios,
                          amigo, que me debéis
                          esa merced que me hacéis! [101]
CATALINÓN.   [*Ap.*] Como no le entreguéis vos   160
                          moza o cosa que lo valga,
                          bien podéis fiaros de él;
                          que en cuanto en esto es cruel,
                          tiene condición hidalga.
DON JUAN.   ¿Qué hay de Sevilla?
MOTA.   Está ya   165
                          toda esta corte mudada.
DON JUAN.   ¿Mujeres?
MOTA.   Cosa juzgada [102].
DON JUAN.   ¿Inés?
MOTA.   A Vejel se va [103].
DON JUAN.   Buen lugar para vivir
                          la que tan dama nació.   170
MOTA.   El tiempo la desterró
                          a Vejel.
DON JUAN.   Irá a morir.
                          ¿Constanza?
MOTA.   Es lástima vella [104]
                          lampiña de frente y ceja.
                          Llámale el portugués vieja,   175
                          y ella imagina que bella.
DON JUAN.   Sí, que *velha* en portugués
                          suena vieja en castellano [105].
                          ¿Y Teodora?

---

101 Don Juan indica que también ha echado de menos al marqués;
y en esta sentida expresión de amistad se basa Catalinón para alabar, con
la excepción que anota, las cualidades de su amo. Todo sirve de introducción magistral al incidente que sigue.
102 cosa juzgada; lo de siempre.
103 Vejel; pueblo cerca de Cádiz, Vejer, cuyo nombre se presta al
juego sobre 'vejez' que sigue.
104 vella; verla.
105 Chiste basado en la aproximación fonética de la palabra portu-
guesa 'velha', vieja, con el adjetivo 'bella'. Es de notar, sin embargo, que
el comentario de Don Juan sólo tiene sentido si 'suena' significa 'dice'
o 'quiere decir'.

MOTA.   Este verano
                se escapó del mal francés [106]   180
                   por un río de sudores; +
                y está tan tierna y reciente, +
                que anteayer me arrojó un diente
                envuelto entre muchas flores [107].

DON JUAN.   ¿Julia, la del Candilejo?   185
MOTA.   Ya con sus afeites lucha.
DON JUAN.   ¿Véndese siempre por trucha? [108]
MOTA.   Ya se da por abadejo [109].
DON JUAN.   El barrio de Cantarranas,
                ¿tiene buena población?   190
MOTA.   Ranas las más de ellas son [110].
DON JUAN.   ¿Y viven las dos hermanas?
MOTA.   Y la mona de Tolú
                de su madre Celestina [111]
                que les enseña doctrina.   195
DON JUAN.   ¡Oh, vieja de Bercebú!
                   ¿Cómo la mayor está?
MOTA.   Blanca, sin blanca ninguna;
                tiene un santo a quien ayuna [112].
DON JUAN.   ¿Ahora en vigilias da?   200
MOTA.   Es firme y santa mujer.
DON JUAN.   ¿Y esotra? [113]
MOTA.   Mejor principio
                tiene; no desecha ripio.
DON JUAN.   Buen albañil quiere ser [114].
                   Marqués, ¿qué hay de perros muertos? [115]

---

106 mal francés; enfermedad venérea, que se trataba en la época con
baños calientes. De ahí el chiste que sigue sobre el enblandecimiento de
la mujer.
107 flores; piropos, caracterizándola.
108 ¿Se le considera joven, atractiva, todavía?
109 El abadejo es pescado de calidad muy inferior a la trucha.
110 ranas; sin atractivos, feas.
111 Las monas de Tolú, ciudad colombiana, eran las más conocidas en
España. Aquí se utiliza el animal, en función adjetival, para subrayar la
vejez de la alcahueta.
112 Está sin dinero porque el amante, a quien guarda fidelidad, no le
da para comer. De ahí el chiste de los versos 200-201.
113 esotra; esa otra, la otra.
114 'Como buen albañil, que jamás ripio desecha'.
115 perro muerto; timo, engaño.

MOTA.	Yo y don Pedro de Esquivel
	dimos anoche un cruel,
	y esta noche tengo ciertos
	otros dos.
DON JUAN.	Iré con vos,
	que también recorreré 210
	cierto nido que dejé
	en huevos para los dos? [116]
	¿Qué hay de terrero?
MOTA.	No muero
	en terreno, que en-terrado [117]
	me tiene mayor cuidado. 215
DON JUAN.	¿Cómo?
MOTA.	Un imposible quiero.
DON JUAN.	Pues ¿no os corresponde?
MOTA.	Sí,
	me favorece y estima.
DON JUAN.	¿Quién es?
MOTA.	Doña Ana, mi prima,
	que es recién llegada aquí. 220
DON JUAN.	Pues ¿dónde ha estado?
MOTA.	En Lisboa,
	con su padre en la embajada.
DON JUAN.	¿Es hermosa?
MOTA.	Es extremada,
	porque en doña Ana de Ulloa
	se extremó naturaleza. 225
DON JUAN.	¿Tan bella es esa mujer?
	¡Vive Dios que la he de ver!
MOTA.	Veréis la mayor belleza
	que los ojos del rey ven.
DON JUAN.	Casaos, pues es extremada. 230
MOTA.	El rey la tiene casada,
	y no se sabe con quién.

---

116 Don Juan se refiere, al parecer, a unas conquistas que había pre-
parado para los dos antes de irse a Nápoles.
117 Haciendo el juego con terrero, paraje donde cortejaban a las da-
mas de palacio, el Marqués indica que lo tiene muerto (enterrado) otra
preocupación.

Don Juan.	¿No os favorece?
Mota.	Y me escribe.
Catalinón.	[*Ap.*] No prosigas, que te engaña
	el gran burlador de España. 235
Don Juan.	¿Quién tan satisfecho vive? [118]
Mota.	Ahora estoy aguardando
	la postrer resolución.
Don Juan.	Pues no perdáis la ocasión,
	que aquí estoy aguardando. 240
Mota.	Ya vuelvo.

Vase el MARQUÉS *y el* CRIADO

Catalinón.	Señor Cuadrado
	o señor Redondo, adiós [119].
Criado.	Adiós.
Don Juan.	Pues solos los dos,
	amigo, habemos quedado,
	síguele el paso al marqués, + 245
	que en el palacio se entró.

(*Vase* Catalinón.)

Habla por una reja una MUJER

Mujer.	Ce, ¿a quién digo?
Don Juan.	¿Quién llamó? +
Mujer.	Pues sois prudente y cortés
	y su amigo, dadle luego
	al marqués este papel; 250
	mirad que consiste en él
	de una señora el sosiego.
Don Juan.	Digo que se lo daré:
	soy su amigo y caballero.
Mujer.	Basta, señor forastero [120] 255
	Adiós. (*Vase.*)

---

118 Don Juan dice, irónicamente, «¡Quién pudiera decir otro tanto!»
119 El criado del marqués ha de llamarse de una de estas maneras.
120 Forastero para ella, que acaba de oír de su llegada a Sevilla.

DON JUAN.　　　　　Ya la voz se fue.
　　　¿No parece encantamiento
　　esto que ahora ha pasado?
　　A mí el papel ha llegado
　　por la estafeta del viento.　　　　　　260

　　　Sin duda que es de la dama
　　que el marqués me ha encarecido:
　　venturoso en esto he sido.
　　Sevilla a voces me llama
　　el Burlador, y el mayor　　　　　　265
　　gusto que en mí puede haber
　　es burlar una mujer
　　y dejarla sin honor.
　　　¡Vive Dios, que le he de abrir [121],
　　pues salí de la plazuela!　　　　　　270
　　Mas, ¿si hubiese otra cautela?...
　　Gana me da de reír.

　　　Ya está abierto el tal papel; +
　　y que es suyo es cosa llana,
　　porque firma doña Ana.　　　　　　275

　　Dice así: «*Mi padre infiel*
　　　en secreto me ha casado
　　sin poderme resistir;
　　no sé si podré vivir,
　　porque la muerte me ha dado.　　　280
　　　Si estimas, como es razón,
　　mi amor y mi voluntad,
　　y si tu amor fue verdad,
　　muéstralo en esta ocasión.
　　　Por que veas que te estimo,　　285
　　ven esta noche a la puerta,
　　que estará a las once abierta,
　　donde tu esperanza, primo,
　　　goces, y el fin de tu amor.
　　Traerás, mi gloria, por señas　　290

(handwritten note in left margin:) no siente nada es una cuestión de su machismo y su honor.

---

de Leonorilla y las dueñas [122],
una capa de color.
    *Mi amor todo de ti fío,
y adiós*». ¡Desdichado amante!
¿Hay suceso semejante?   295
Ya de la burla me río.
    Gozaréla, ¡vive Dios!,
con el engaño y cautela
que en Nápoles a Isabela.

Sale CATALINÓN

CATALINÓN.	Ya el marqués viene.
DON JUAN.	Los dos 300

aquesta noche tenemos
que hacer.

CATALINÓN.	¿Hay engaño nuevo?
DON JUAN.	Extremado.
CATALINÓN.	No lo apruebo.

Tú pretendes que escapemos
    una vez, señor, burlados;   305
que el que vive de burlar
burlado habrá de escapar
pagando tantos pecados +
    de una vez.

DON JUAN.	¿Predicador

te vuelves, impertinente?   310

CATALINÓN.	La razón hace al valiente.
DON JUAN.	Y al cobarde hace el temor.

    El que se pone a servir
voluntad no ha de tener,
y todo ha de ser hacer,   315
y nada ha de ser decir.
    Sirviendo, jugando estás,
y si quieres ganar luego,

---

122 Para que Leonorilla, su criada íntima, y sus dueñas puedan co-
nocerlo.

	haz siempre, porque en el juego,	
	quien más hace, gana más.	320
CATALINÓN.	Y también quien hace y dice +	
	pierde por la mayor parte.	
DON JUAN.	Esta vez quiero avisarte	
	porque otra vez no te avise.	
CATALINÓN	Digo que de aquí adelante	325
	lo que me mandas haré,	
	y a tu lado forzaré	
	un tigre, un elefante. +	
	Guárdese de mí un prior,	
	que si me mandas que calle	330
	y le fuerce, he de forzalle [123]	
	sin réplica, mi señor.	
DON JUAN.	Calla, que viene el marqués.	
CATALINÓN.	Pues, ¿ha de ser el forzado?	

Sale el MARQUÉS DE LA MOTA

DON JUAN.	Para vos, marqués, me han dado	335
	un recado harto cortés	
	por esa reja, sin ver	
	el que me lo daba allí;	
	sólo en la voz conocí	
	que me lo daba mujer.	340
	Dícete al fin que a las doce	
	vayas secreto a la puerta,	
	que estará a las once abierta [124],	
	donde tu esperanza goce	
	la posesión de tu amor;	345
	y que llevases por señas	
	de Leonorilla y las dueñas	
	una capa de color.	
MOTA.	¿Qué dices?	

---

123 forzalle; forzarle.
124 Parece que Don Juan debiera ocultar este hecho; pero quizá le
caracterice mejor el aliciente de burla que esta declaración revela. La expresión no es necesariamente contradictoria, pues el fijar la cita a las
doce puede depender de otros factores.

DON JUAN.	Que este recado
	de una ventana me dieron, 350
	sin ver quién.
MOTA.	Con él pusieron
	sosiego en tanto cuidado.
	¡Ay amigo! Sólo en tí
	mi esperanza renaciera.
	Dame esos pies. +
DON JUAN.	Considera 355
	que no está tu prima en mí.
	Eres tú quien ha de ser
	quien la tiene de gozar,
	¿y me llegas a abrazar
	los pies?
MOTA.	Es tal el placer, 360
	que me ha sacado de mí.
	¡Oh, sol! apresura el paso.
DON JUAN.	Ya el sol camina al ocaso.
MOTA.	Vamos, amigos, de aquí,
	y de noche nos pondremos [125]. 365
	¡Loco voy!
DON JUAN.	[*Ap.*] Bien se conoce;
	mas yo bien sé que a las doce
	harás mayores extremos.
MOTA.	¡Ay, prima del alma, prima,
	que quieres premiar mi fe! 370
CATALINÓN.	[*Ap.*] ¡Vive Cristo, que no dé
	una blanca por su prima!

Vase el MARQUÉS *y sale* DON DIEGO

DON DIEGO.	¿Don Juan?
CATALINÓN.	Tu padre te llama.
DON JUAN.	¿Qué manda vueseñoría?
DON DIEGO.	Verte más cuerdo quería, 375
	más bueno y con mejor fama.

---

125 Ponerse de noche; ponerse en traje de noche.

   ¿Es posible que procuras
   todas las horas mi muerte?

DON JUAN. ¿Por qué vienes de esa suerte?

DON DIEGO. Por tu trato y tus locuras.   380
   Al fin el rey me ha mandado
   que te eche de la ciudad,
   porque está de una maldad
   con justa causa indignado.
   Que, aunque me lo has encubierto, 385
   ya en Sevilla el rey lo sabe,
   cuyo delito es tan grave,
   que a decírtelo no acierto.
   ¿En el palacio real
   traición y con un amigo?   390
   Traidor, Dios te dé el castigo
   que pide delito igual.
   Mira que, aunque al parecer
   Dios te consiente y aguarda,
   su castigo no se tarda,   395
   y que castigo ha de haber
   para los que profanáis
   su nombre, que es jüez fuerte
   Dios en la muerte.

DON JUAN.   ¿En la muerte?
   ¿Tan largo me lo fiáis?   400
   De aquí allá hay gran jornada.

DON DIEGO. Breve te ha de parecer.

DON JUAN. Y la que tengo de hacer,
   pues a su alteza le agrada,
   ahora, ¿es larga también?   405

DON DIEGO. Hasta que el injusto agravio
   satisfaga el duque Octavio,
   y apaciguados estén
   en Nápoles de Isabela
   los sucesos que has causado, 410
   en Lebrija retirado
   por tu traición y cautela,

	quiere el rey que estés ahora:	
	pena a tu maldad ligera.	
CATALINÓN.	*(Aparte.)* Si el caso también supiera	415
	de la pobre pescadora,	
	más se enojara el buen viejo.	
DON DIEGO.	Pues no te vence castigo [126]	
	con cuanto hago y cuanto digo,	
	a Dios tu castigo dejo. *(Vase.)*	420
CATALINÓN.	Fuese el viejo enternecido.	
DON JUAN.	Luego las lágrimas copia [127],	
	condición de viejo propia.	
	Vamos, pues ha anochecido,	
	a buscar al marqués.	
CATALINÓN.	Vamos,	425
	y al fin gozarás su dama.	
DON JUAN.	Ha de ser burla de fama.	
CATALINÓN.	Ruego al cielo que salgamos	
	de ella en paz.	
DON JUAN.	¡Catalinón	
	en fin!	
CATALINÓN.	Y tú, señor, eres	430
	langosta de las mujeres,	
	y con público pregón,	
	porque de ti se guardara	
	cuando a noticia viniera	
	de la que doncella fuera,	435
	fuera bien se pregonara:	
	«Guárdense todos de un hombre	
	que a las mujeres engaña,	
	y es el burlador de España».	
DON JUAN.	Tú me has dado gentil nombre.	440

Sale el marqués, de noche, con músicos

| MÚSICOS. | *El que un bien gozar espera,* |
| | *cuanto espera desespera.* |

---

126 vence castigo; gana el consejo. El poeta, mediante el verso 420, combina dos acepciones de la palabra.
127 lágrimas copia; llora.

MOTA.   *Como yo a mi bien goce,*
                nunca llegue a amanecer. *

DON JUAN.   ¿Qué es esto?

CATALINÓN.   Música es.   445

MOTA.   Parece que habla conmigo
                el poeta. ¿Quién va?

DON JUAN.   Amigo.

MOTA.   ¿Es don Juan?

DON JUAN.   ¿Es el marqués?

MOTA.   ¿Quién puede ser sino yo?

DON JUAN.   Luego que la capa vi,   450
                que érades vos conocí [128].

MOTA.   Cantad, pues don Juan llegó.

MÚSICOS.   *(Cantan.)*
                El que un bien gozar espera,
                cuanto espera desespera.

DON JUAN.   ¿Qué casa es la que miráis?   455

MOTA.   De don Gonzalo de Ulloa.

DON JUAN.   ¿Dónde iremos?

MOTA.   A Lisboa.

DON JUAN.   ¿Cómo, si en Sevilla estáis?

MOTA.   Pues ¿aqueso os maravilla? [129]
                ¿No vive, con gusto igual,   460
                lo peor de Portugal
                en lo mejor de Castilla? [130]

DON JUAN.   ¿Dónde viven?

MOTA.   En la calle
                de la Sierpe, donde ves,
                a Adán vuelto en portugués; [131]   465
                que en aqueste amargo valle
                con bocados solicitan
                mil Evas que, aunque dorados,

---

* Estos dos versos del marqués resultan sueltos, y quizá estén mejor como algo que canta el personaje.

128 erades; eras.

129 aqueso; eso.

130 Gente de mal vivir, especialmente mujeres, de origen portugués pero radicados en Sevilla.

131 portugués; enamoradizo.

	en efecto, son bocados con que el dinero nos quitan. [132] +	470
CATALINÓN.	Ir de noche no quisiera por esa calle cruel, pues lo que de día es miel entonces lo dan en cera. [133]	
	Una noche, por mi mal, la vi sobre mí vertida, + y hallé que era corrompida la cera de Portugal.	475
DON JUAN.	Mientras a la calle vais, yo dar un perro quisiera. [134]	480
MOTA.	Pues cerca de aquí me espera un bravo.	
DON JUAN.	Si me dejáis, señor marqués, vos veréis cómo de mí no se escapa.	
MOTA.	Vamos, y poneos mi capa, para que mejor lo déis. [135]	485
DON JUAN.	Bien habéis dicho. Venid, y me enseñaréis la casa.	
MOTA.	Mientras el suceso pasa, la voz y el habla fingid. ¿Véis aquella celosía?	490
DON JUAN.	Ya la veo.	
OCTAVIO.	Pues llegad y decid: «Beatriz», y entrad.	
DON JUAN.	¿Qué mujer?	

---

132 El nombre de la calle (Sierpe) le sugiere al marqués toda la metáfora conceptuosa: los hombres (Adán) andan enamoradizos en donde mil Evas (mujeres aludidas en la nota anterior) les ofrecen la fruta dorada (prohibida) para sacarles el dinero.

133 cera; excremento.
La palabra 'miel' hace juego con 'cera', y quizá también con 'dar'.

134 perro; perro muerto.
El verso siguiente se refiere a un 'perro bravo', un engaño difícil y peligroso, por hallarse cerca el hombre de la engañada.

135 El marqués, conociendo a Don Juan, encuentra natural que éste desista de la empresa fácil para llevar a cabo la difícil. Que el marqués le ofrezca su capa (que Don Juan le habría pedido en todo caso) hace que el cuadro rebose ironía.

Mota.	Rosada y fría [136].	
Catalinón.	Será mujer cantimplora.	495
Mota.	En Gradas os aguardamos [137].	
Don Juan.	Adiós, marqués.	
Catalinón.	¿Dónde vamos?	
Don Juan.	Calla, necio, calla ahora;	
	adonde la burla mía *	
	ejecute.	
Catalinón.	No se escapa	500
	nadie de ti.	
Don Juan.	El trueque adoro.	
Catalinón.	Echaste la capa al toro.	
Don Juan.	No, el toro me echó la capa [138].	

[*Vanse* don Juan y Catalinón]

Mota.	La mujer ha de pensar	
	que soy él.	
Músicos.	¡Qué gentil perro!	505
Mota.	Esto es acertar por yerro.	
Músicos.	Todo este mundo es errar. [139] +	

(Cantan:)

El que un bien gozar espera,
cuanto espera desespera.

Vanse, y dice doña Ana, *dentro*

Ana.	¡Falso!, no eres el marqués,	510
	que me has engañado.	
Don Juan.	Digo	
	que lo soy.	
Ana.	¡Fiero enemigo,	
	mientes, mientes!	

---

136 fría; sosa.
El gracioso sigue con el chiste basado en las características de Beatriz.
137 Gradas; paseo hecho a la redonda de la Iglesia Mayor por fuera.
* Verso suelto en todas las ediciones.
138 Cínicamente, Don Juan extiende la imagen para calificar a su amigo.
139 Este verso, generalización del anterior del marqués, cae con fuerza de sermón sobre el público, que conoce la intención de Don Juan.

Does not ask about his daughter.

Sale DON GONZALO *con la espada desnuda*

D. GONZALO.   La voz es
de doña Ana la que siento.   515

ANA.   *(Dentro.)* ¿No hay quien mate este trai-
homicida de mi honor?   dor,]

D. GONZALO. ¿Hay tan grande atrevimiento?
             Muerto honor, dijo, ¡ay de mí!,
y es su lengua tan liviana
que aquí sirve de campana.   520

ANA.   Matadle.

D. Gonzalo - su principle concern is his honor.

Sale DON JUAN y CATALINÓN *con las espadas desnudas*

DON JUAN.   ¿Quién está aquí?

D. GONZALO. La barbacana caída
de la torre de mi honor,
echaste en tierra, traidor,
donde era alcaide la vida [140].   525

DON JUAN.   Déjame pasar.

D. GONZALO.   ¿Pasar?
Por la punta de esta espada.

DON JUAN.   Morirás.

D. Gonzalo insiste en luchar

D. GONZALO.   No importa nada.

DON JUAN.   Mira que te he de matar.

D. GONZALO. ¡Muere, traidor!

DON JUAN.   De esta suerte   530
muero.

CATALINÓN.   Si escapo de aquesta, +
no más burlas, no más fiesta.

D. GONZALO. ¡Ay, que me has dado la muerte!

DON JUAN.   Tú la vida te quitaste.

D. GONZALO. ¿De qué la vida servía?   535

DON JUAN.   Huyamos.

---

140 barbacana; fortificación.
    Las palabras seleccionadas por el dramaturgo 'barba cana (blanca) caída
(larga)' sugieren una posible segunda intención; en cuyo caso la imagen
sirve de paralelo al incidente con el sarcófago.

Don Juan: Déjame pasar.

(Pág. 77.)

Vase DON JUAN y CATALINÓN

D. GONZALO.　　　　　　La sangre fría
con el furor aumentaste [141].
　　Muerto soy; no hay bien que aguarde [142].
Seguiráte mi furor;
que es traidor, y el que es traidor [143]　　540
es traidor porque es cobarde.

Entran muerto a DON GONZALO, *y sale el* MARQUÉS
DE LA MOTA y MÚSICOS

MOTA.　　　　　　Presto las doce darán,
y mucho don Juan se tarda:
¡fiera prisión del que aguarda!

Sale DON JUAN y CATALINÓN

DON JUAN.　　¿Es el marqués?
MOTA.　　　　　　　　¿Es don Juan?　　545
DON JUAN.　　Yo soy; tomad vuestra capa.
MOTA.　　¿Y el perro?
DON JUAN.　　　　　　Funesto ha sido.
Al fin, marqués, muerto ha habido [144].
CATALINÓN.　　Señor, del muerto te escapa [145].
MOTA.　　　　　　¿Búrlaste, amigo? ¡Qué haré? [146]　　550

141　El furor te aumentó el valor. Así justifica Don Gonzalo su derrota
a manos de quien considera cobarde. Es más, prepara su venida sobrenatural a base del mismo furor: 'si a ti te sirvió en vida, a mí me servirá
en la muerte'.

142　No se refiere a la vida eterna, puesto que después sabemos que
está en gracia de Dios. El pasaje se presta, pues, a otras dos interpretacio-
nes: 'que no espera ya más bienes de la vida', o 'que no hay bien (bienes-
tar) que permanezca'; refiriéndose con esto a sus recientes éxitos en la
Corte, valiendo, asimismo, como aviso del fin de Don Juan.

143　es; eres.
Hemos de pensar que Don Gonzalo piensa: 'el que hace lo que tú es...»

144　Este juego de palabras representa el colmo del cinismo donjua-
nesco.

145　Temor supersticioso del gracioso que preconiza el final.

146　'¿Bromeaste, amigo? ¿Ha habido muerto de verdad? Pensamos que
'burlaste' tiene aquí este sentido porque ya ha preguntado acerca del 'perro
muerto' (verso 547).

CATALINÓN.   (Aparte.) Ya a vos os ha burlado. [147] *
DON JUAN.   Cara la burla ha costado.
MOTA.   Yo, don Juan, lo pagaré,
                  porque estará la mujer
              quejosa de mí.
DON JUAN.   Adiós,   555
              marqués.
CATALINÓN.   [Ap.]   A fe que los dos
              mal parejo han de correr [148].
DON JUAN.   Huyamos.
CATALINÓN.   Señor, no habrá
              águila que a mí me alcance. [149] *
                                              (Vanse.)
MOTA.   Vosotros os podéis ir   560
              todos a casa, que yo
              he de ir solo.
CRIADOS.   Dios crió
              las noches para dormir. +

              Vanse y queda el MARQUÉS DE LA MOTA

              (Dentro.) ¿Vióse desdicha mayor,
              y vióse mayor desgracia?   565
MOTA.   ¡Válgame Dios! Voces siento
              en la plaza del Alcázar.
              ¿Qué puede ser a estas horas?
              Un hielo en el pecho me arraiga [150].
              Desde aquí parece todo   570
              una Troya que se abrasa,
              porque tantas luces juntas
              hacen gigantes de llamas.

---

147 Catalinón, pensando en la burlada y no en el muerto, dice que ya no hay remedio.
  * Corregimos el verso de la edición de 1630: 'Y a vos os ha burlado'.
148 Corregimos 'parejo' por 'pareja', que trae la edición de 1630. Indica Catalinón que si la mujer (Beatriz para el Marqués y Doña Ana para Catalinón) estará quejosa de Mota, éste también ha de estar quejoso de ella.
149 Se refiere a la velocidad y a la gran vista del águila.
  * Estos dos versos están sueltos en ed. 1630.
150 me arraiga; arraiga en mí.

Un grande escuadrón de hachas
se acerca a mí; ¿por qué anda   575.
el fuego emulando estrellas,
dividiéndose en escuadras? [151]
Quiero saber la ocasión.

Sale DON DIEGO TENORIO *y la* GUARDIA *con hachas*

DON DIEGO.   ¿Qué gente?
MOTA.   Gente que aguarda
saber de aqueste ruïdo   580
el alboroto y la causa.
DON DIEGO.   Prendedlo.
MOTA.   ¿Prenderme a mí? [*Mete mano a*
                                              la espada.]
DON DIEGO.   Volved la espada a la vaina,
que la mayor valentía
es no tratar de las armas   585.
MOTA.   ¿Cómo al marqués de la Mota
hablan así?
DON DIEGO.   Dad la espada,
que el rey os manda prender.
MOTA.   ¡Vive Dios!

Sale el REY *y acompañamiento*

REY.   En toda España
no ha de caber, ni tampoco   590
en Italia, si va a Italia.
DON DIEGO.   Señor, aquí está el marqués.
MOTA.   ¿Vuestra alteza a mí me manda
prender?
REY.   Llevadle y ponedle [+]
la cabeza en una escarpia.   595
¿En mi presencia te pones?
MOTA.   ¡Ah, glorias de amor tiranas,
siempre en el pasar ligeras,

---

151 Los hombres con hachas de fuego vienen en filas.

	como en el vivir pesadas!	
	Bien dijo un sabio que había	600
	entre la boca y la taza [152]	
	peligro; mas el enojo	
	del rey me admira y espanta.	
	No sé por lo que voy preso.	
Don Diego.	¿Quién mejor sabrá la causa	605
	que vueseñoría.	
Mota.	¿Yo?	
Don Diego.	Vamos.	
Mota.	¡Confusión extraña!	
Rey.	Fulmínesele el proceso [153]	
	al marqués luego, y mañana	
	le cortarán la cabeza.	610
	Y al comendador, con cuanta	
	solemnidad y grandeza	
	se da a las personas sacras	
	y reales, el entierro	
	se haga; en bronce y piedras varias	615
	un sepulcro con un bulto [154]	
	le ofrezcan, donde en mosaicas	
	labores, góticas letras [155]	
	den lenguas a sus venganzas [156].	
	Y entierro, bulto y sepulcro	620
	quiero que a mi costa se haga.	
	¿Dónde doña Ana se fue?	
Don Diego.	Fuese al sagrado, doña Ana,	
	de mi señora la reina.	
Rey.	Ha de sentir esta falta	625
	Castilla; tal capitán	
	ha de llorar Calatrava.	*(Vanse todos.)*

---

152 Hoy se diría, probablemente, 'entre el plato y la boca se pierde la sopa'.
153 fulminar; instruir.
154 bulto; sarcófago.
155 letras góticas; grandes.
156 Las letras góticas dirán cómo fue vengado.

Sale BATRICIO *desposado con* AMINTA; GASENO, *viejo;*
BELISA Y PASTORES *músicos*

(Cantan:)
   Lindo sale el sol de abril
con trébol y torongil,
y aunque le sirva de estrella,   630
Aminta sale más bella.

BATRICIO.   Sobre esta alfombra florida,
adonde, en campos de escarcha,
el sol sin aliento marcha
con su luz recién nacida,   635
os sentad, pues nos convida
al tálamo el sitio hermoso.

AMINTA. Cantadle a mi dulce esposo
favores de mil en mil.

(Cantan):
   Lindo sale el sol de abril   640
con trébol y torongil;
y aunque le sirva de estrella,
Aminta sale más bella.

GASENO. Muy bien lo habéis solfeado;
no hay más sones en el kiries.   645

BATRICIO. Cuando con sus labios tiries
vuelve en púrpura los labios

....
saldrán, aunque vergonzosas,

....
afrentando el sol de abril. *

AMINTA.   Batricio, yo lo agradezco;   650
falso y lisonjero estás;
mas si tus rayos me das,
por ti ser luna merezco,
tú eres el sol por quien crezco +
después de salir menguante.   655
Para que el alba te cante

---

* Faltan dos versos para completar el verso y el sentido; y sobra, asimismo, una rima.

la salva en tono sutil,
(Cantan:)
lindo sale el sol, etc.

Sale CATALINÓN, *de camino*

CATALINÓN.   Señores, el desposorio
huéspedes ha de tener.
GASENO.   A todo el mundo ha de ser   660
este contento notorio.
¿Quién viene?
CATALINÓN.   Don Juan Tenorio.
GASENO.   ¿El viejo?
CATALINÓN.   No ése, don Juan. [157] +
BELISA.   Será su hijo galán.
BATRICIO.   Téngolo por mal agüero,   665
que galán y caballero
quitan gusto y celos dan.
    Pues ¿quién noticia les dio
de mis bodas?
CATALINÓN.   De camino
pasa a Lebrija.
BATRICIO.   Imagino   670
que el demonio le envió.
Mas, ¿de qué me aflijo yo?
Vengan a mis dulces bodas
del mundo las gentes todas.
Mas, con todo, un caballero   675
en mis bodas, ¡mal agüero!
GASENO.   Venga el Coloso de Rodas,
    venga el Papa, el Preste Juan [158]
y don Alfonso el Onceno
con su corte, que en Gaseno   680

---

157 Gaseno puede muy bien confundir a padre e hijo, pues el apellido es el que le es conocido.
158 Coloso de Rodas; estatua a la entrada de ese puerto, maravilla del mundo antiguo.
Preste Juan; nombre dado a los emperadores de Etiopía.

       ánimo y valor verán.
Montes en casa hay de pan,
Guadalquivires de vino,
Babilonias de tocino,
y entre ejércitos cobardes   685
de aves, para que las lardes, +
el pollo y el palomino.
     Venga tan gran caballero
a ser hoy en Dos Hermanas
honra de estas viejas canas.   690

BELISA.   El hijo del camarero
        mayor...

BATRICIO. [*Ap.*] Todo es mal agüero
        para mí, pues le han de dar
        junto a mi esposa lugar.
        Aun no gozo, y ya los cielos   695
        me están condenando a celos.
        Amor, sufrir y callar.

            Sale DON JUAN TENORIO

DON JUAN.   Pasando acaso he sabido
        que hay bodas en el lugar,
        y de ellas quise gozar,   700
        pues tan venturoso he sido.

GASENO.   Vueseñoría ha venido
        a honrarlas y engrandecellas [159].

BATRICIO. Yo, que soy el dueño de ellas,
        digo entre mí que vengáis   705
        en hora mala.

GASENO.   ¿No dais
        lugar a este caballero?

DON JUAN.   Con vuestra licencia quiero
        sentarme aquí.

---

159 engrandecellas; engrandecerlas.

Siéntase junto a la novia

BATRICIO.   Si os sentáis *
                      delante de mí, señor,   710
                      seréis de aquesa manera
                      el novio.
DON JUAN.   Cuando lo fuera,
                      no escogiera lo peor.
GASENO.   ¡Qué es el novio!
DON JUAN.   De mi error
                      e ignorancia perdón pido. +   715
CATALINÓN.   [*Ap.*] ¡Desventurado marido!
DON JUAN.   [*Ap. a Catal.*] Corrido está.
CATALINÓN.   [*Ap.*]   No lo ignoro;
                      mas si tiene que ser toro,
                      ¿qué mucho que esté corrido? ¹⁶⁰
                          No daré por su mujer   720
                      ni por su honor un cornado.
                      ¡Desdichado tú, que has dado
                      en manos de Lucifer!
DON JUAN.   ¿Posible es que vengo a ser,
                      señora, tan venturoso?   725
                      Envidia tengo al esposo.
AMINTA.   Parecéisme lisonjero.
BATRICIO.   Bien dije que es mal agüero
                      en bodas un poderoso.
GASENO.   Ea, vamos a almorzar,   730
                      por que pueda descansar
                      un rato su señoría.

Tómale DON JUAN *la mano a la novia*

DON JUAN.   ¿Por qué la escondéis?
AMINTA.   Es mía.
GASENO.   Vamos.

---

* Los vv. 708-709 sobran para la quintilla, aunque el sentido es per-
fecto; y el verso 707 debió rimar en -ellas.
160 Partiendo de 'corrido' (avergonzado), y basándose en el valor peyo-
rativo de 'cuernos', Catalinón reúne varias connotaciones ambivalentes.

BELISA.	Volved a cantar.
DON JUAN.	¿Qué dices tú?
CATALINÓN.	¿Yo? Que temo 735
	muerte vil de estos villanos.
DON JUAN.	Buenos ojos, blancas manos,
	en ellos me abraso y quemo.
CATALINÓN.	¡Almagrar y echar a extremo! [161]
	Con ésta cuatro serán. 740
DON JUAN.	Ven, que mirándome están.
BATRICIO.	En mis bodas, caballero,
	¡mal agüero!
GASENO.	Cantad.
BATRICIO.	Muero.
CATALINÓN.	Canten, que ellos llorarán.

(Vanse todos, con que da fin la segunda jornada.)

---

161 Almagrar y echar a extremo; apartar, señalar para sí. 'enalmagrar', señalar el ganado; 'extremo', lugar donde inverna el ganado.

JORNADA TERCERA

Sale **Batricio**, *pensativo*

Batricio.   Celos, reloj de cuidados, +
que a todas las horas dáis
tormentos con que matáis,
aunque dáis desconcertados;
   celos, del vivir desprecios,   5
con que ignorancias hacéis,
pues todo lo que tenéis
de ricos, tenéis de necios; [162]
   dejadme de atormentar,
pues es cosa tan sabida   10
que, cuando amor me da vida,
la muerte me queréis dar.
   ¿Qué me queréis, caballero,
que me atormentáis así?
Bien dije cuando le vi   15
en mis bodas, «¡mal agüero!».
   ¿No es bueno que se sentó
a cenar con mi mujer,
y a mí en el plato meter
la mano no me dejó?   20
   Pues cada vez que quería
meterla la desviaba
diciendo a cuanto tomaba:
«¡Grosería, grosería!».
   Pues llegándome a quejar   25
a algunos, me respondían
y con risa me decían:

---

162 Celos, que de ignorancias hacéis desprecios del vivir (desesperación), pues sois tan necios (por las ignorancias) como despreciadores (ricos).

«No tenéis de qué os quejar;
  eso no es cosa que importe;
no tenéis de qué temer;   30
callad, que debe de ser
uso de allá de la corte».
  ¡Buen uso, trato extremado!
Más no se usara en Sodoma: [163]
que otro con la novia coma,   35
y que ayune el desposado.
  Pues el otro bellacón
a cuanto comer quería:
«¿Esto no come?», decía;
«No tenéis, señor, razón»;   40
  y de delante al momento
me lo quitaba. Corrido
estó; bien sé yo que ha sido [164]
culebra y no casamiento [165].
  Ya no se puede sufrir   45
ni entre cristianos pasar;
y acabando de cenar
con los dos, ¿mas que a dormir [166]
  se ha de ir también, si porfía,
con nosotros, y ha de ser,   50
el llegar yo a mi mujer,
«grosería, grosería»?
  Ya viene, no me resisto.
Aquí me quiero esconder;
pero ya no puede ser,   55
que imagino que me ha visto.

Sale DON JUAN TENORIO

DON JUAN.   Batricio.
BATRICIO.   Su señoría
  ¿qué manda?

---

163 Sodoma; ciudad bíblica, sinónimo de inmoralidad.
164 estó; estoy, lenguaje rústico.
165 culebra; chasco, broma pesada.
166 mas que; a que, así también en el verso 59.

Don Juan.	Haceros saber...
Batricio.	[*Ap.*] ¿Mas que ha de venir a ser
	alguna desdicha mía? 60
Don Juan.	Que ha muchos días, Batricio,
	que a Aminta el alma le di +
	y he gozado...
Batricio.	¿Su honor?
Don Juan.	Sí.
Batricio.	[*Ap.*] Manifiesto y claro indicio
	de lo que he llegado a ver; 65
	que si bien no le quisiera
	nunca a su casa viniera.
	Al fin, al fin es mujer.
Don Juan.	Al fin, Aminta celosa,
	o quizá desesperada 70
	de verse de mí olvidada
	y de ajeno dueño esposa,
	esta carta me escribió
	enviándome a llamar,
	y yo prometí gozar 75
	lo que el alma prometió [167].
	Esto pasa de esta suerte.
	Dad a vuestra vida un medio; [168]
	que le daré sin remedio
	a quien lo impida, la muerte. 80
Batricio.	Si tú en mi elección lo pones,
	tu gusto pretendo hacer,
	que el honor y la mujer
	son males en opiniones [169].
	La mujer en opinión
	siempre más pierde que gana, 85
	que son como la campana,
	que se estima por el són.
	Y así es cosa averiguada

(anotación manuscrita al margen: honor)

(anotación manuscrita al margen derecho: la fama de una mujer — gossip)

---

167 Que la labradora Aminta sepa escribir no debe extrañar, pues la boda rústisa participa en mucho de la convención pastoril, bucólica.

168 medio; rumbo, dirección.

169 Son malos cuando andan en lengua de la gente.

que opinión viene a perder   90
cuando cualquiera mujer
suena a campana quebrada.
　　No quiero, pues me reduces
el bien que mi amor ordena [170],
mujer entre mala y buena,   95
que es moneda entre dos luces [171].
　　Gózala, señor, mil años,
que yo quiero resistir,
desengañar y morir [172],
y no vivir con engaños.   (*Vase.*)   100

Don Juan.　　Con el honor le vencí,
porque siempre los villanos
tienen su honor en las manos [173],
y siempre miran por sí.
　　Que por tantas variedades [174],   105
es bien que se entienda y crea,
que el honor se fue al aldea,
huyendo de las ciudades.
　　Pero antes de hacer el daño
le pretendo reparar: 110
a su padre voy a hablar
para autorizar mi engaño.
　　Bien lo supe negociar:
gozarla esta noche espero.
La noche camina, y quiero   115
su viejo padre llamar.
　　Estrellas que me alumbráis,
dadme en este engaño suerte,

170　Don Juan, con haber gozado de Aminta, reduce lo que Batricio tiene derecho a esperar de su amor.
171　Que no se sabe nunca si es falsa o verdadera.
172　Desengañar; desengañarme.
173　Don Juan expresa un punto de vista muy extendido en el diecisiete: que el honor es algo ajeno al villano; que, si se refiere a ello, es siempre egoístamente. Desde luego, la actitud sumisa de Batricio es inconcebible en un noble.
174　variedades; variaciones.
　　Todo este monólogo es cínico hasta más no poder (vv. 109-110), y, con afirmar ahora que el honor se ha refugiado en las aldeas, se burla del honor en general.

si el galardón en la muerte
tan largo me lo guardáis.   (*Vase.*)   120

Sale AMINTA y BELISA

BELISA.   Mira que vendrá tu esposo:
entra a desnudarte, Aminta.
AMINTA.   De estas infelices bodas
no sé qué siento, Belisa.
Todo hoy mi Batricio ha estado   125
bañado en melancolía,
todo es confusión y celos;
¡mirad qué grande desdicha!
Di, ¿qué caballero es éste
que de mi esposo me priva?   130
La desvergüenza en España
se ha hecho caballería.
Déjame, que estoy sin seso,
déjame, que estoy corrida. +
¡Mal hubiese el caballero   135
que mis contentos me priva!
BELISA.   Calla, que pienso que viene,
que nadie en la casa pisa,
de un desposado, tan recio [175].
AMINTA.   Queda adiós, Belisa mía.   140
BELISA.   Desenójale en los brazos.
AMINTA.   ¡Plega a los cielos que sirvan
mis suspiros de requiebros,
mis lágrimas de caricias!   (*Vanse.*)

(*Sale* DON JUAN, CATALINÓN y GASENO)

DON JUAN.   Gaseno, quedad con Dios.   145
GASENO.   Acompañaros querría,
por darle de esta ventura
el parabién a mi hija.

---

175 Ha de ser Batricio porque sólo el marido da pasos fuertes, como
con derecho, en su propia casa.

DON JUAN.	Tiempo mañana nos queda.	
GASENO.	Bien decís: el alma mía	150
	en la muchacha os ofrezco.	
DON JUAN.	Mi esposa decid.	[*Vase.*]
DON JUAN.	(*A Catal.*) Ensilla,	
	Catalinón.	
CATALINÓN.	¿Para cuándo?	
DON JUAN.	Para el alba, que de risa	
	muerta, ha de salir mañana,	155
	de este engaño.	
CATALINÓN.	Allá, en Lebrija,	
	señor, nos está aguardando	
	otra boda. Por tu vida,	
	que despaches presto en ésta.	
DON JUAN.	La burla más escogida	160
	de todas ha de ser ésta.	
CATALINÓN.	Que saliésemos querría	
	de todas bien.	
DON JUAN.	Si es mi padre	
	el dueño de la justicia,	
	y es la privanza del rey,	165
	¿qué temes?	
CATALINÓN.	De los que privan	
	suele Dios tomar venganza,	
	si delitos no castigan;	
	y se suelen en el juego	
	perder también los que miran.	170
	Yo he sido mirón del tuyo,	
	y por mirón no querría	
	que me cogiese algún rayo	
	y me trocase en ceniza +.	
DON JUAN.	Vete, ensilla, que mañana	175
	he de dormir en Sevilla.	
CATALINÓN.	¿En Sevilla?	
DON JUAN.	Sí.	
CATALINÓN.	¿Qué dices?	
	Mira lo que has hecho, y mira	

que hasta la muerte, señor,
es corta la mayor vida,   180
y que hay tras la muerte imperio [176].

DON JUAN.   Si tan largo me lo fías,
vengan engaños.

CATALINÓN.   Señor...

DON JUAN.   Vete, que ya me amohinas
con tus temores extraños.   185

CATALINÓN.   Fuerza al turco, fuerza al scita,
al persa y al caramanto [177],
al gallego, al troglodita,
al alemán y al japón,
al sastre con la agujita   190
de oro en la mano, imitando
contino a la *Blanca niña* [178]   (*Vase.*)

DON JUAN

La noche en negro silencio
se extiende, y ya las cabrillas
entre racimos de estrellas   195
el polo más alto pisan.
Yo quiero poner mi engaño
por obra. El amor me guía
a mi inclinación, de quien
no hay hombre que se resista.   200
Quiero llegar a la cama.
¡Aminta!

Sale AMINTA *como que está acostada*

AMINTA.   ¿Quién llama a Aminta? +
¿Es mi Batricio?

DON JUAN.   No soy
tu Batricio.

---

176   imperio; dominio, orden, y por ende, 'juicio'.
177   caramanto; garamantes, antiguos habitantes de Libia.
178   Esta exclamación exasperada comprende al 'sastre' por ser éste el
blanco de toda clase de injuria; mas la mención de éste trae a la mente
del gracioso, sin sentido y por mera asociación, el romance: 'Estando la
blanca niña / bordando en su bastidor'.
japón; japonés.
contino; siempre.

AMINTA.	Pues ¿quién?	
DON JUAN.	Mira	
	despacio, Aminta, quién soy.	205
AMINTA.	¡Ay de mí! ¡Yo soy perdida!	
	¿En mi aposento a estas horas?	
DON JUAN.	Estas son las horas mías. +	
AMINTA.	Volveos, que daré voces.	
	No excedáis la cortesía	210
	que a mi Batricio se debe.	
	Ved que hay romanas Emilias	
	en Dos-Hermanas también,	
	y hay Lucrecias vengativas [179].	
DON JUAN.	Escúchame dos palabras,	215
	y esconde de las mejillas	
	en el corazón la grana,	
	por ti más preciosa y rica.	
AMINTA.	Vete, que vendrá mi esposo.	
DON JUAN.	Yo lo soy; ¿de qué te admiras?	220
AMINTA.	¿Desde cuándo?	
DON JUAN.	Desde ahora.	
AMINTA.	¿Quién lo ha tratado?	
DON JUAN.	Mi dicha.	
AMINTA.	¿Y quién nos casó?	
DON JUAN.	Tus ojos.	
AMINTA.	¿Con qué poder?	
DON JUAN.	Con la vista.	
AMINTA.	¿Sábelo Batricio?	
DON JUAN.	Sí.	225
	que te olvida.	
AMINTA.	¿Que me olvida?	
DON JUAN.	Sí, que yo te adoro.	
AMINTA.	¿Cómo?	
DON JUAN.	Con mis dos brazos.	
AMINTA.	Desvía.	
DON JUAN.	¿Cómo puedo, si es verdad	
	que muero?	

---

179 Mujeres romanas que simbolizan la virtud y la castidad.

AMINTA.   ¡Qué gran mentira!   230
DON JUAN.   Aminta, escucha y sabrás,
                 si quieres que te lo diga,
                 la verdad, que las mujeres
                 sois de verdades amigas.
                 Yo soy noble caballero,   235
                 cabeza de la familia
                 de los Tenorios, antiguos
                 ganadores de Sevilla.
                 Mi padre, después del rey,
                 se reverencia y estima,   240
                 y en la corte, de sus labios
                 pende la muerte o la vida.
                 Corriendo el camino acaso,
                 llegué a verte, que amor guía
                 tal vez las cosas de suerte,   245
                 que él mismo de ellas se olvida [180].
                 Vite, adoréte, abraséme
                 tanto, que tu amor me anima
                 a que contigo me case;
                 mira qué acción tan precisa.   250
                 Y aunque lo murmure el reino +
                 y aunque el rey lo contradiga,
                 y aunque mi padre enojado
                 con amenazas lo impida,
                 tu esposo tengo de ser.   255
                 ¿Qué dices?
AMINTA.   No sé qué diga,
                 que se encubren tus verdades
                 con retóricas mentiras.
                 Porque si estoy desposada,
                 como es cosa conocida,   260
                 con Batricio, el matrimonio
                 no se absuelve aunque él desista [181].

---

180 Pasando por aquí casualmente, te vi; pues el amor, sin saberlo, hace su propia suerte.
181 absolver; anular.

Don Juan.	En no siendo confirmado [182],	
	por engaño o por malicia	
	puede anularse.	
Aminta.	En Batricio	265
	todo fue verdad sencilla.	
Don Juan.	Ahora bien: dame esa mano,	
	y esta voluntad confirma	
	con ella.	
Aminta.	¿Que no me engañas?	
Don Juan.	Mío el engaño sería.	270
Aminta.	Pues jura que cumplirás	
	la palabra prometida.	
Don Juan.	Juro a esta mano, señora [183],	
	infierno de nieve fría,	
	de cumplirte la palabra.	275
Aminta.	Jura a Dios que te maldiga	
	si no la cumples.	
Don Juan.	Si acaso	
	la palabra y la fe mía	
	te faltare, ruego a Dios	
	que a traición y alevosía	280
	me dé muerte un hombre... ([*Ap.*] muerto:	
	que, vivo, ¡Dios no permita)	
Aminta.	Pues con ese juramento	
	soy tu esposa.	
Don Juan.	El alma mía	
	entre los brazos te ofrezco.	285
Aminta.	Tuya es el alma y la vida.	
Don Juan.	¡Ay, Aminta de mis ojos!	
	Mañana sobre virillas [184]	
	de tersa plata estrellada	

---

182 *¿Tan largo me lo fiáis?* tiene aquí 'consumado', que es mejor lectura; pero es posible que Don Juan use 'confirmado' por confundir a Aminta con otro sacramento, pues en seguida (vv. 267-68) pide que se confirme (con la mano, asociada siempre con la confirmación, y que tan importante papel tendrá en el desenlace) la nueva relación.

183 Como antes a los ojos de Tisbea, ahora jura Don Juan a la mano de Aminta.

184 virillas; adorno en el calzado de mujer.

con clavos de oro de Tíbar [185],   290
pondrás los hermosos pies,
y en prisión de gargantillas
la alabastrina garganta,
y los dedos en sortijas,
en cuyo engaste parezcan   295
trasparentes perlas finas.

AMINTA.   A tu voluntad, esposo,
la mía desde hoy se inclina:
tuya soy.

DON JUAN.   [*Ap.*]   ¡Qué mal conoces
al *Burlador de Sevilla*!   (*Vanse.*)   300

Sale ISABELA y FABIO, *de camino*

ISABELA.   ¡Que me robase el dueño,
la prenda que estimaba y más quería!
¡Oh, riguroso empeño
de la verdad! ¡Oh, máscara del día!
¡Noche al fin, tenebrosa   305
antípoda del sol, del sueño esposa! [186]

FABIO.   ¿De qué sirve, Isabela,
el amor en el alma y en los ojos,
si amor todo es cautela [187],
y en campos de desdenes causa enojos;   310
si el que se ríe ahora
en breve espacio, desventuras llora?
El mar está alterado
y en grave temporal, riesgo se corre +.
El abrigo han tomado   315
las galeras, duquesa, de la torre
que esta playa corona.

ISABELA.   ¿Dónde estamos ahora?

---

185 Tíbar; Costa de Oro, Africa.
186 Don Juan es el sujeto de 'robase'; Octavio es el dueño a que se refiere.
187 Como Isabela apostrofa a la noche, cómplice del burlador, Fabio, del todo pesimista, dice: ni cuando se siente en el alma, ni cuando se ve con los ojos, puede uno fiarse del amor, que es siempre engaño.

FABIO.   En Tarragona. +
                    De aquí a poco espacio
                    daremos en Valencia, ciudad bella,   320
                    del mismo sol palacio.
                    Divertiráste algunos días en ella,
                    y después a Sevilla,
                    irás a ver la octava maravilla.
                        Que si a Octavio perdiste,   325
                    más galán es don Juan, y de Tenorio
                    solar. ¿De que estás triste?
                    Conde dicen que es ya don Juan Tenorio;
                    el rey con él te casa,
                    y el padre es la privanza de su casa.   330
ISABELA.   No nace mi tristeza
                    de ser esposa de don Juan, que el mundo
                    conoce su nobleza;
                    en la esparcida voz mi agravio fundo,
                    que esta opinión perdida   335
                    es de llorar mientras tuviere vida [188].
FABIO.   Allí una pescadora
                    tiernamente suspira y se lamenta,
                    y dulcemente llora.
                    Acá viene, sin duda, y verte intenta.   340
                    Mientras llamo tu gente,
                    lamentaréis las dos más dulcemente.

                        Vase FABIO *y sale* TISBEA

TISBEA.   Robusto mar de España [189],
                    ondas de fuego, fugitivas ondas,
                    Troya de mi cabaña,   345
                    que ya el fuego, por mares y por ondas,
                    en sus abismos fragua,

---

188 opinión; reputación, que, identificada con la honra, exigía lo mismo
al perderse.
189 Llamaban así al Mediterráneo.
190 Tisbea contrasta mar y fuego (amor), puesto que del mar salió
Don Juan; pero extiende los opuestos un grado más: el fuego que sale del
mar produce, a su vez, agua (lágrimas).

y la mar forma, por las llamas, agua [190] *.
¡Maldito el leño sea
que a tu amargo cristal halló camino +,   350
antojo de Medea,
tu cáñamo primero o primer lino,
aspado de los vientos
para telas de engaños e instrumentos! [191]

ISABELA.   ¿Por qué del mar te quejas   355
tan tiernamente, hermosa pescadora?

TISBEA.   Al mar formo mil quejas.
¡Dichosa vos, que en su tormento, ahora [192]
de él os estáis riendo!

ISABELA.   También quejas del mar estoy haciendo.   360
¿De dónde sois?

TISBEA.   De aquellas
cabañas que miráis del viento heridas
tan victorioso entre ellas,
cuyas pobres paredes desparcidas
van en pedazos graves,   365
dándole mil graznidos a las aves [193].
En sus pajas me dieron
corazón de fortísimo diamante;
mas las obras me hicieron,
de este monstruo que ves tan arrogante,   370
ablandarme de suerte,
que al sol la cera es más robusta y fuerte [194].

---

* Corregimos 'la mar' por 'el mar' para que el verso tenga la medida adecuada.

191 Maldice el primer barco con que el hombre cruzó el mar, y lo identifica con el de los Argonautas. De ahí el uso de Medea, que se encaprichó con él (huyendo con Jasón, jefe de los Argonautas). Se refiere directamente, en los vv. 332-334, a la vela del barco, que es tela e instrumento de engaños. Ha de entenderse 'tela' aquí con un sentido de telaraña u otra materia tejida para engañar.

192 El mar está tormentoso y Tisbea juega con la palabra para decir que Isabela, más afortunada que ella, se ríe, ya libre, del mar en su tormento.

193 Los pedazos negros (graves)de su cabaña quemada, al dispersarse en el viento, parecen cornejas, que lanzan graznidos a las otras aves. En días más felices había identificado la cabaña con las tórtolas.

194 El monstruo es el mar, tormentoso en el momento en que habla Tisbea. Dice que las obras del mar (la llegada de Don Juan) ablandaron su corazón.

        ¿Sois vos la Europa hermosa,
        que esos toros os llevan? [195]

ISABELA.   A Sevilla +
        llévanme a ser esposa   375
        contra mi voluntad.

TISBEA.   Si mi mancilla
        a lástima os provoca,
        y si injurias del mar os tienen loca,
         en vuestra compañía,
        para serviros como humilde esclava   380
        me llevad; que querría,
        si el dolor o la afrenta no me acaba,
        pedir al rey justicia
        de un engaño cruel, de una malicia.
          Del agua derrotado,   385
        a esta tierra llegó don Juan Tenorio,
        difunto y anegado:
        amparéle, hospedéle en tan notorio
        peligro, y el vil huesped
        víbora fue a mi planta en tierno césped+. 390
          Con palabra de esposo,
        la que de esta costa burla hacía,
        se rindió al engañoso:
        ¡mal haya la mujer que en hombres fía!
        Fuese al fin y dejóme: 395
        mira si es justo que venganza tome.

ISABELA.   ¡Calla, mujer maldita!
        Vete de mi presencia, que me has muerto.
        Mas si el dolor te incita,
        no tienes culpa tú, prosigue el cuento *. 400

TISBEA.   La dicha fuera mía [196].

ISABELA.   ¡Mal haya la mujer que en hombres fía!
        ¿Quién tiene de ir contigo?

---

195 Europa fue raptada por Júpiter, que había tomado la forma de toro.
El pasaje se explica con indicar que en Valencia había bueyes para tirar de
los barcos.
  * 'cuento' rompe la rima.
  196 Tisbea entiende 'cuento' en su acepción de 'ficción'.

TISBEA.	Un pescador, Anfriso; un pobre padre
	de mis males testigo. 405
ISABELA.	[*Ap.*] No hay venganza que a mi mal tanto le
	Ven en mi compañía. [cuadre. *
TISBEA.	¡Mal haya la mujer que en hombres fía!
	(*Vanse.*)

Sale DON JUAN y CATALINÓN

CATALINÓN.	Todo enmaletado está [197].
DON JUAN.	¿Cómo?
CATALINÓN.	Que Octavio ha sabido 410
	la traición de Italia ya,
	y el de la Mota ofendido
	de ti justas quejas da,
	y dice, que fue el recado +,
	que de su prima le diste 415
	fingido y disimulado,
	y con su capa emprendiste
	la traición que le ha infamado.
	Dicen que viene Isabela +
	a que seas su marido, 420
	y dicen...
DON JUAN.	¡Calla!
CATALINÓN.	Una muela
	en la boca me has rompido.
DON JUAN.	Hablador, ¿quién te revela
	tanto disparate junto? +
CATALINÓN.	¡Disparate, disparate! + 425
	Verdades son.
DON JUAN.	No pregunto
	si lo son. Cuando me mate
	Octavio: ¿estoy yo difunto? [198]

---

* Verso largo.
197 enmaletado; posiblemente errata por 'enmalletado' (enredado, liado). Más probablemente jerigonza del gracioso que significa (por semejanza de sonido) 'todo en mal estado está', que es lo que aparece en *¿Tan largo...?*
198 cuando me mate; aun cuando quiera matarme.

	¿No tengo manos también?	
	¿Dónde me tienes posada?	430
CATALINÓN.	En la calle, oculta.	
DON JUAN.	Bien.	
CATALINÓN.	La iglesia es tierra sagrada.	
DON JUAN.	Di que de día me den	
	en ella la muerte. ¿Viste [199]	
	al novio de Dos-Hermanas?	435
CATALINÓN.	También le vi ansiado y triste.	
DON JUAN.	Aminta, estas dos semanas,	
	no ha de caer en el chiste.	
CATALINÓN.	Tan bien engañada, está,	
	que se llama doña Aminta.	440
DON JUAN.	¡Graciosa burla será!	
CATALINÓN.	Graciosa burla y sucinta,	
	mas siempre la llorará.	

Descúbrese un sepulcro de DON GONZALO DE ULLOA

	¿Qué sepulcro es éste?	
DON JUAN.		
CATALINÓN.	Aquí	
	don Gonzalo está enterrado.	445
DON JUAN.	Este es al que muerte di. +	
	¡Gran sepulcro le han labrado!	
CATALINÓN.	Ordenólo el rey así.	
	¿Cómo dice este letrero? [200]	
DON JUAN.	«Aquí aguarda del Señor,	450
	el más leal caballero,	
	la venganza de un traidor.»	
	Del mote reírme quiero.	
	¿Y habéisos vos de vengar,	
	buen viejo, barbas de piedra? [201]	455
CATALINÓN.	No se las podrás pelar,	
	que en barbas muy fuertes medra.	

---

199 Don Juan dice que quisiera que la muerte le alcanzara en la iglesia de día, cuando hay función religiosa; una forma de decir que nunca se halla en ella a esa hora.

200 Es muy posible que el gracioso no supiera leer.

201 Mientras habla, Don Juan le mesa las barbas a la estatua del Comendador.

DON JUAN.   Aquesta noche a cenar
                 os aguardo en mi posada.
                 Allí el desafío haremos,   460
                 si la venganza os agrada;
                 aunque mal reñir podremos +,
                 si es de piedra vuestra espada.
CATALINÓN.   Ya, señor, ha anochecido;
                 vámonos a recoger.   465
DON JUAN.   Larga esta venganza ha sido.
                 Si es que vos la habéis de hacer,
                 importa no estar dormido [202],
                      que si a la muerte aguardáis
                 la venganza, la esperanza   470
                 ahora es bien que perdáis,
                 pues vuestro enojo y venganza
                 tan largo me lo fiáis.   (*Vanse.*)

Ponen la mesa dos CRIADOS (*en la posada oculta*)

CRIADO 1.°.   Quiero apercebir la cena,
                 que vendrá a cenar don Juan.   475
CRIADO 2.°.   Puestas las mesas están.
                 ¡Qué flema tiene si empieza! [203] *
                      Ya tarda como solía,
                 mi señor; no me contenta;
                 la bebida se calienta   480
                 y la comida se enfría.
                      Mas, ¿quién a don Juan ordena
                 esta desorden? [204]

Entra DON JUAN *y* CATALINÓN

DON JUAN.   ¿Cerraste?
CATALINÓN.   Ya cerré como mandaste.
DON JUAN.   ¡Hola! Tráiganme la cena.   485

---

202 El sarcófago de Don Gonzalo está reclinado.
203 ¡Qué calmoso es cuando empieza a serlo!
*   'empieza' rompe la rima.
204 ¡Quién podrá ordenar el desorden de Don Juan!

CRIADO 2.º.	Ya está aquí.
DON JUAN.	Catalinón,

siéntate.

CATALINÓN.	Yo soy amigo

de cenar despacio.

DON JUAN.	Digo

que te sientes.

CATALINÓN.	La razón

haré [205].

CRIADO 1.º.   También es camino   490
   éste, si come con él [206].

DON JUAN. Siéntate.

              (*Un golpe dentro.*)

CATALINÓN.   Golpe es aquél.

DON JUAN. Que llamaron imagino;
   mira quién es.

CRIADO 1.º.   Voy volando.

CATALINÓN. ¿Si es la justicia, señor?   495

DON JUAN. Sea, no tengas temor.

            (*Vuelve el* CRIADO, *huyendo.*)

   ¿Quién es? ¿De qué estás temblando?

CATALINÓN.   De algún mal da testimonio.

DON JUAN. Mal mi cólera resisto.
   Habla, responde, ¿qué has visto?   500
   ¿Asombróte algún demonio?
     Ve tú, y mira aquella puerta:
   ¡presto, acaba!

CATALINÓN.   ¿Yo?

DON JUAN.   Tú, pues.
   Acaba, menea los pies.

CATALINÓN. A mi abuela hallaron muerta   505
    como racimo colgada,
   y desde entonces se suena [207]

---

205 hacer la razón; corresponder a un brindis.
206 camino; viaje, cuando amos y criados más se juntan.
207 se suena; se dice.

que anda siempre su alma en pena.
Tanto golpe no me agrada.

DON JUAN.   Acaba.

CATALINÓN.   Señor, si sabes   510
que soy un Catalinón...

DON JUAN.   Acaba.

CATALINÓN.   ¡Fuerte ocasión!

DON JUAN.   ¿No vas?

CATALINÓN.   ¿Quién tiene las llaves
de la puerta?

CRIADO 2.º   Con la aldaba
está cerrada no más.   515

DON JUAN.   ¿Qué tienes? ¿Por qué no vas?

CATALINÓN.   Hoy Catalinón acaba.
¿Mas si las forzadas vienen
a vengarse de los dos?

(Llega CATALINÓN *a la puerta, y viene corriendo; cae y levántase.)*

DON JUAN.   ¿Qué es eso?

CATALINÓN.   ¡Válgame Dios!   520
¡Que me matan, que me tienen!

DON JUAN.   ¿Quién te tiene, quién te mata? +
¿Qué has visto?

CATALINÓN.   Señor, yo allí
vide cuando... luego fui...
¿Quién me ase, quien me arrebata?   525
    Llegué, cuando después ciego...
cuando vile, ¡juro a Dios!...
Habló y dijo, ¿quién sois vos?...
respondió, y respondí luego...
    topé y vide...

CATALINÓN.   ¿A quién?

CATALINÓN.   No sé.   530

DON JUAN.   ¡Cómo el vino desatina!
Dame la vela, gallina,
y yo a quien llama veré.

(Toma DON JUAN *la vela y llega a la puerta. Sale al encuentro* DON GONZALO, *en la forma que estaba en el sepulcro, y* DON JUAN *se retira atrás turbado, empuñando la espada, y en la otra la vela, y* DON GONZALO *hacia él, con pasos menudos, y al compás* DON JUAN, *retirándose hasta estar en medio del teatro.)*

DON JUAN.	¿Quién va?	
D. GONZALO.	Yo soy.	
DON JUAN.	¿Quién sois vos?	
D. GONZALO.	Soy el caballero honrado	535
	que a cenar has convidado.	
DON JUAN.	Cena habrá para los dos,	
	y si vienen más contigo,	
	para todos cena habrá.	
	Ya puesta la mesa está.	540
	Siéntate.	
CATALINÓN.	¡Dios sea conmigo!	
	¡San Panuncio, San Antón! [208]	
	Pues ¿los muertos comen, di?	
	Por señas dice que sí.	
DON JUAN.	Siéntate, Catalinón.	545
CATALINÓN.	No, señor, yo lo recibo	
	por cenado.	
DON JUAN.	Es desconcierto:	
	¡qué temor tienes a un muerto!	
	¿Qué hicieras estando vivo?	
	Necio y villano temor.	550
CATALINÓN.	Cena con tu convidado,	
	que yo, señor, ya he cenado.	
DON JUAN.	¿He de enojarme?	
CATALINÓN.	Señor,	
	¡vive Dios que huelo mal!	
DON JUAN.	Llega, que aguardando estoy.	555
CATALINÓN.	Yo pienso que muerto soy,	
	y está muerto mi arrabal [209].	

Valor

---

208 Era lugar común que el gracioso invocara santos estrambóticos.
209 arrabal; extremidad, y aquí se refiere a las posaderas.

(*Tiemblan los* CRIADOS)

DON JUAN.	Y vosotros, ¿qué decís?
	¿Qué hacéis? ¡Necio temblar!
CATALINÓN.	Nunca quisiera cenar 560
	con gente de otro país.
	¿Yo, señor, con *convidado*
	de piedra?
DON JUAN.	¡Necio temer!
	Si es piedra, ¿qué te ha de hacer?
CATALINÓN.	Dejarme descalabrado. 565
DON JUAN.	Háblale con cortesía.
CATALINÓN.	¿Está bueno? ¿Es buena tierra
	la otra vida? ¿Es llano o sierra?
	¿Prémiase allá la poesía? [210]
CRIADO 1.º.	A todo dice que sí, 570
	con la cabeza.
CATALINÓN.	¿Hay allá
	muchas tabernas? Sí habrá,
	si Noé reside allí [211] +.
DON JUAN.	¡Hola! dadnos de beber. *
CATALINÓN.	Señor muerto, ¿allá se bebe 575
	con nieve? (*Baja la cabeza.*)
	Así, que hay nieve:
	buen país.
DON JUAN.	Si oír cantar
	queréis, cantarán. (*Baja la cabeza.*)
CRIADO 2.º.	Sí, dijo.
DON JUAN.	Cantad.
CATALINÓN.	Tiene el seor muerto [212]
	buen gusto.
CRIADO 1.º.	Es noble, por cierto, 580
	y amigo de regocijo.
	(*Cantan dentro:*)

---

210. Tirso se ríe de las justas poéticas de su día.
211 La edición de 1630 dice 'si no se reside allí', lectura posible; pero preferimos ésta, de ¿*Tan largo...?*, porque la Biblia hace referencia, en efecto, a la embriaguez de Noé.
* 'beber' rompe la rima; podría leerse 'tomar'.
212 seor; señor.

> *Si de mi amor aguardáis,*
> *señora, de aquesta suerte*
> *el galardón en la muerte,*
> *¡qué largo me lo fiáis!*   585

CATALINÓN.   O es sin duda veraniego [213]
el seor muerto, o debe ser
hombre de poco comer.
Temblando al plato me llego.
Poco beben por allá;   (*Bebe.*)   590
yo beberé por los dos.
Brindis de piedra ¡por Dios!
Menos temor tengo ya.
(*Cantan:*)

> *Si ese plazo me convida*
> *para que gozaros pueda,*   595
> *pues larga vida me queda,*
> *dejad que pase la vida.*

> *Si de mi amor aguardáis,*
> *señora, de aquesta suerte*
> *el galardón en la muerte,*   600
> *¡qué largo me lo fiáis!*

CATALINÓN.   ¿Con cuál de tantas mujeres
como has burlado, señor,
hablan?

DON JUAN.   De todas me río,
amigo, en esta ocasión.   605
En Nápoles a Isabela...

CATALINÓN.   Esa, señor, ya no es hoy +
burlada, porque se casa
contigo, como es razón.
Burlaste a la pescadora   610
que del mar te redimió,
pagándole el hospedaje
en moneda de rigor [214].
Burlaste a doña Ana...

---

213 veraniego; inapetente por el calor.
214 en moneda de rigor; cruelmente.

Don Juan.   Calla,
     que hay parte aquí que lastó [215]   615
     por ella, y vengarse aguarda.
Catalinón.   Hombre es de mucho valor,
     que él es piedra, tú eres carne:
     no es buena resolución.

    (Hace señas que se quite la mesa, y queden solos)

Don Juan.   ¡Hola! quitad esa mesa,   620
     que hace señas que los dos
     nos quedemos, y se vayan
     los demás.
Catalinón.   ¡Malo, por Dios!
     No te quedes, porque hay muerto
     que mata de un mojicón   625
     a un gigante.
Don Juan.   Salíos todos.
     ¡A ser yo Catalinón...! [216]
     Vete, que viene.

  (Vanse, y quedan los dos solos, y hace señas que cierre la puerta)

Don Juan.   La puerta
     ya está cerrada. Ya estoy
     aguardando. Di, ¿qué quieres,   630
     sombra o fantasma o visión?
     Si andas en pena o si aguardas
     alguna satisfacción
     para tu remedio, dilo,
     que mi palabra te doy   635
     de hacer lo que me ordenares +.
     ¿Estás gozando de Dios?
     ¿Dite la muerte en pecado?
     Habla, que suspenso estoy [217].

---

215 lastar; sufrir por otro.
216 Yo no soy tú.
217 Esta preocupación de Don Juan por el estado de gracia en que se hallaba su víctima resalta el tema principal de la obra e indica, además, un conocimiento necesario para la culpabilidad.

(*Habla paso, como cosa del otro mundo*)

D. Gonzalo.	¿Cumplirásme una palabra	640
	como caballero?	
Don Juan.	Honor	
	tengo, y las palabras cumplo,	
	porque caballero soy.	
D. Gonzalo.	Dame esa mano, no temas.	
Don Juan.	¿Eso dices? ¿Yo temor?	645
	Si fueras el mismo infierno	
	la mano te diera yo. (*Dale la mano.*)	
D. Gonzalo.	Bajo esta palabra y mano,	
	mañana a las diez estoy	
	para cenar aguardando.	650
	¿Irás?	
Don Juan.	Empresa mayor	
	entendí que me pedías.	
	Mañana tu huésped soy.	
	¿Dónde he de ir?	
D. Gonzalo.	A mi capilla.	
Don Juan.	¿Iré solo?	
D. Gonzalo.	No, los dos;	655
	y cúmpleme la palabra	
	como la he cumplido yo.	
Don Juan.	Digo que la cumpliré;	
	que soy Tenorio.	
D. Gonzalo.	Yo soy	
	Ulloa.	
Don Juan.	Yo iré sin falta.	660
D. Gonzalo.	Y yo lo creo. Adiós. (*Va a la puerta.*)	
Don Juan.	Aguarda, iréte alumbrando.	
D. Gonzalo.	No alumbres, que en gracia estoy.	

(*Vase muy poco a poco, mirando a* DON JUAN, *y* DON JUAN *a él,
hasta que desaparece y queda* DON JUAN *con pavor*)

Don Juan

¡Válgame Dios! Todo al cuerpo
se ha bañado de un sudor,   665

y dentro de las entrañas
se me hiela el corazón.
Cuando me tomó la mano,
de suerte me la apretó,
que un infierno parecía: 670
jamás vide tal calor.
Un aliento respiraba,
organizando la voz [218],
tan frío, que parecía
infernal respiración.   675
Pero todas son ideas
que da la imaginación:
el temor, y temer muertos,
es más villano temor [219];
que si un cuerpo noble, vivo,   680
con potencias y razón
y con alma, no se teme,
¿quién cuerpos muertos temió?
Mañana iré a la capilla
donde convidado soy,   685
por que se admire y espante
Sevilla de mi valor.   (*Vase.*)

Sale el REY *y* DON DIEGO TENORIO
y acompañamiento

REY.   ¿Llegó al fin Isabela?
DON DIEGO.   Y disgustada.
REY.   Pues ¿no ha tomado bien el casamiento?
DON DIEGO. Siente, señor, el nombre de infamada.   690
REY.   De otra causa procede su tormento.
           ¿Dónde está?
DON DIEGO.   En el convento está alojada
           de las Descalzas.

---

218 organizar; entonar un órgano, aquí significa 'al hablar'.
219 El temor es villano y el temor a los muertos es el temor más villano.

REY.   Salga del convento
luego al punto, que quiero que en palacio
asista con la reina más despacio.   695
DON DIEGO.   Si ha de ser con don Juan el desposorio,
manda, señor, que tu presencia vea.
REY.   Véame, y galán salga, que notorio [220]
quiero que este placer al mundo sea.
Conde será desde hoy don Juan Tenorio   700
de Lebrija; él la mande y la posea,
que si Isabela a un duque corresponde,
ya que ha perdido un duque, gane un conde.
DON DIEGO.   Todos por la merced tus pies besamos.
REY.   Merecéis mi favor tan dignamente,   705
que si aquí los servicios ponderamos,
me quedo atrás con el favor presente.
Paréceme, don Diego, que hoy hagamos
las bodas de doña Ana juntamente.
DON DIEGO.   ¿Con Octavio?
REY.   No es bien que el duque Octavio 710
sea el restaurador de aqueste agravio.
Doña Ana con la reina me ha pedido
que perdone al marqués, porque doña Ana,
ya que el padre murió, quiere marido,
porque si le perdió, con él le gana [221].   715
Iréis con poca gente y sin rüido
luego a hablarle a la fuerza de Triana [222];
por su satisfacción y por su abono +
de su agraviada prima, le perdono [223].
DON DIEGO.   Ya he visto lo que tanto deseaba.   720
REY.   Que esta noche han de ser, podéis decirle,
los desposorios.
DON DIEGO.   Todo en bien se acaba.
Fácil será al marqués el persuadirle,
que de su prima amartelado estaba.

---

220 galán; primer actor, aquí significa 'el mejor', pues el rey piensa
hacerle conde.
221 Ganará nuevo padre en el marido.
222 fuerza; fortaleza.
223 Por darle satisfacción a su prima, y con esa condición, le perdona.

REY.	También podéis a Octavio prevenirle. + 725 Desdichado es el duque con mujeres; son todas opinión y pareceres. Hanme dicho que está muy enojado con don Juan.
DON DIEGO.	No me espanto si ha sabido de don Juan el delito averiguado, 730 que la causa de tanto daño ha sido. El duque viene.
REY.	No dejéis mi lado, que en el delito sois comprehendido.

Sale el DUQUE OCTAVIO

OCTAVIO.	Los pies, invicto rey, me dé tu alteza.
REY.	Alzad, duque, y cubrid vuestra cabeza. 735 ¿Qué pedís?
OCTAVIO.	Vengo a pediros, postrado ante vuestras plantas, una merced, cosa justa, digna de serme otorgada.
REY.	Duque, como justa sea, 740 digo que os doy mi palabra de otorgárosla. Pedid.
OCTAVIO.	Ya sabes, señor, por cartas de tu embajador, y el mundo por la lengua de la fama 745 sabe, que don Juan Tenorio +, con española arrogancia, en Nápoles una noche, para mí noche tan mala, con mi nombre profanó 750 el sagrado de una dama.
REY.	No pases más adelante. Ya supe vuestra desgracia. En efecto: ¿qué pedís?
OCTAVIO.	Licencia que en la campaña 755 defienda como es traidor 224.

---

224 defender como; mantener que, en duelo.

Don Diego.	Eso no. Su sangre clara
	es tan honrada...
Rey.	¡Don Diego!
Don Diego.	Señor.
Octavio.	¿Quién eres que hablas
	en la presencia del rey 760
	de esa suerte?
Don Diego.	Soy quien calla
	porque me lo manda el rey;
	que si no, con esta espada
	te respondiera.
Octavio.	Eres viejo.
Don Diego.	Ya he sido mozo en Italia, 765
	a vuestro pesar, un tiempo;
	ya conocieron mi espada
	en Nápoles y en Milán.
Octavio.	Tienes ya la sangre helada.
	No vale *fui*, sino *soy*. 770
Don Diego.	Pues fui y soy. (*Empuña.*)
Rey.	Tened; basta;
	bueno está. Callad, don Diego,
	que a mi persona se guarda
	poco respeto. Y vos, duque,
	después que las bodas se hagan, 775
	más despacio hablaréis.
	Gentilhombre de mi cámara
	es don Juan, y hechura mía;
	y de aqueste tronco rama: *
	mirad por él.
Octavio.	Yo lo haré. 780
	gran señor, como lo mandas.
Rey.	Venid conmigo, don Diego.
Don Diego.	[*Ap.*] ¡Ay, hijo! ¡qué mal me pagas
	el amor que te he tenido!
Rey.	Duque.
Octavio.	Gran señor.

---

* El rey señala a Don Diego.

Rey.	Mañana	785
	vuestras bodas se han de hacer [225].	
Octavio.	Háganse, pues tú lo mandas.	

Vase el REY *y* DON DIEGO, *y sale* GASENO *y* AMINTA

Gaseno.	Este señor nos dirá	
	dónde está don Juan Tenorio.	
	Señor, ¿si está por acá	790
	un don Juan a quien notorio	
	ya su apellido será?	
Octavio.	Don Juan Tenorio diréis.	
Aminta.	Sí, señor; ese don Juan.	
Octavio.	Aquí está: ¿qué le queréis?	795
Aminta.	Es mi esposo ese galán.	
Octavio.	¿Cómo?	
Aminta.	Pues, ¿no lo sabéis	
	siendo del alcázar vos?	
Octavio.	No me ha dicho don Juan nada.	
Gaseno.	¿Es posible?	
Octavio.	Sí, por Dios.	800
Gaseno.	Doña Aminta es muy honrada,	
	cuando se casen los dos;	
	que cristiana vieja es	
	hasta los huesos, y tiene	
	de la hacienda el interés,	805
	. . . . *	
	más bien que un conde, un marqués.	
	Casóse don Juan con ella,	
	y quitósela a Batricio.	
Aminta.	Decid cómo fue doncella [226]	
	a su poder.	

---

225 Nada clara está la decisión del rey. No sabemos con quién piensa casar al duque. Hemos de suponer que vuelve a pensar casarlo con Doña Ana, deshaciendo el casamiento propuesto entre ésta y el marqués. Esto añade un elemento de 'suspense', ya que el lector, conocedor del fracaso de Don Juan con Doña Ana, favoreceá ese matrimonio.

* Falta un verso para la estrofa y para el sentido. Una lectura posible sería: 'con que, si quiere, mantiene'.

226 Aminta, presumiendo ya quizá, habla de sí en tercera persona.

GASENO.   No es juicio   810
                esto, ni aquesta querella [227].

OCTAVIO.   [*Ap.*] Esta es burla de don Juan,
                y para venganza mía
                éstos diciéndola están.
                ¿Qué pedís, al fin?

GASENO.   Querría,   815
                porque los días se van,
                    que se hiciese el casamiento,
                o querellarme ante el rey.

OCTAVIO.   Digo que es justo ese intento.

GASENO.   Y razón y justa ley.   820

OCTAVIO.   [*Ap.*] Medida a mi pensamiento
                    ha venido la ocasión.
                En el alcázar tenemos *
                bodas.

AMINTA.   ¿Si las mías son?

OCTAVIO.   [*Ap.*] Quiero, para que acertemos,   825
                valerme de una invención.
                    Venid donde os vestiréis,
                señora, a lo cortesano,
                y a un cuarto del rey saldréis
                conmigo.

AMINTA.   Vos de la mano   830
                a don Juan me llevaréis.

OCTAVIO.   Que de esta suerte es cautela [228].

GASENO.   El arbitrio me consuela [229].

OCTAVIO.   [*Ap.*] Estos venganza me dan
                de aqueste traidor don Juan   835
                y el agravio de Isabela [230].   (*Vanse.*)

---

227   Eso se sobreentiende.
  *   Corregimos 'tenéis' de la edición de 1630, que rompe la rima.
228   Nos parece que Octavio debe decir esto aparte, aunque no aparezca
así en la edición de 1630.
      cautela; engaño, que consistirá, al parecer, en introducir a Aminta en la
boda de Don Juan.
229   arbitrio; solución, propuesta.
230   La preposición 'de' surte efecto desde el verso anterior.

Sale DON JUAN y CATALINÓN

CATALINÓN.	¿Cómo el rey te recibió?
DON JUAN.	Con más amor que mi padre.
CATALINÓN.	¿Viste a Isabela?
DON JUAN.	También.
CATALINÓN.	¿Cómo viene?
DON JUAN.	Como un ángel.

840

CATALINÓN.	¿Recibióte bien?
DON JUAN.	El rostro

bañado de leche y sangre,
como la rosa que al alba
despierta en la débil caña *.

CATALINÓN.   Al fin, ¿esta noche son   845
las bodas?

DON JUAN.   Sin falta.

CATALINÓN.   Si antes +
hubieran sido, no hubieras,
señor, engañado a tantas *;
pero tú tomas esposa,
señor, con cargas muy grandes.   850

DON JUAN.   Di: ¿comienzas a ser necio?

CATALINÓN.   Y podrás muy bien casarte
mañana, que hoy es mal día.

DON JUAN.   Pues ¿qué día es hoy?

CATALINÓN.   Es martes.

DON JUAN.   Mil embusteros y locos   855
dan en esos disparates.
Sólo aquel llamo mal día +,
acïago y detestable,
en que no tengo dineros;
que lo demás es donaire.   860

CATALINÓN.   Vamos, si te has de vestir,
que te aguardan, y ya es tarde.

---

* Corregimos, añadiendo 'en', por conservar el sentido de la expresión metafórica: Isabela lo recibió sonrojada y con la cabeza baja, reflejos de vergüenza. 'Caña' rompe la asonancia del romance.
* 'tantas' vuelve a romper la asonancia del romance.

Don Juan.	Otro negocio tenemos que hacer, aunque nos aguarden.
Catalinón.	¿Cuál es?
Don Juan.	Cenar con el muerto. 865
Catalinón.	Necedad de necedades.
Don Juan.	¿No ves que di mi palabra?
Catalinón.	Y cuando se la quebrantes, ¿qué importa? ¿Ha de pedirte una figura de jaspe + 870 la palabra?
Don Juan.	Podrá el muerto llamarme a voces infame.
Catalinón.	Ya está cerrada la iglesia.
Don Juan.	Llama.
Catalinón.	¿Qué importa que llame? ¿Quién tiene de abrir, que están 875 durmiendo los sacristanes?
Don Juan.	Llama a este postigo.
Catalinón.	Abierto está.
Don Juan.	Pues entra.
Catalinón.	Entre un fraile con su guisopo y estola *.
Don Juan.	Sígueme y calla.
Catalinón.	¿Que calle? 880
Don Juan.	Sí.
Catalinón.	Ya callo. Dios en paz + de estos convites me saque.

(Entran por una puerta y salen por otra)

¡Qué oscura que está la iglesia,
señor, para ser tan grande!
¡Ay de mí! ¡Tenme, señor, 885
porque de la capa me asen!

---

* Seguimos la sugerencia de Castro, escribiendo 'guisopo' en vez de 'hisopo', que hace mejor verso; aunque debe tenerse en cuenta que en Tirso abunda la aspiración de la «H».

Sale DON GONZALO *como de antes, y encuéntrase con ellos*

DON JUAN.	¿Quién va?
D. GONZALO.	Yo soy.
CATALINÓN.	¡Muerto estoy!
D. GONZALO.	El muerto soy, no te espantes.

No entendí que me cumplieras
la palabra, según haces   890
de todos burla.

DON JUAN.   ¿Me tienes
en opinión de cobarde?

D. GONZALO. Sí, que aquella noche huíste
de mí cuando me mataste.

DON JUAN. Huí de ser conocido;   895
mas ya me tienes delante.
Di presto lo que me quieres [231].

D. GONZALO. Quiero a cenar convidarte.

CATALINÓN. Aquí excusamos la cena,
que toda ha de ser fiambre,   900
pues no parece cocina.

DON JUAN. Cenemos.

D. GONZALO.   Para cenar *
es menester que levantes
esa tumba.

DON JUAN.   Y si te importa [232],
levantaré esos pilares.   905

D. GONZALO. Valiente estás.

DON JUAN.   Tengo brío
y corazón en las carnes.

CATALINÓN. Mesa de Guinea es ésta [233] +.
Pues ¿no hay por allá quien lave?

D. GONZALO. Siéntate.

DON JUAN.   ¿Adónde?

CATALINÓN.   Con sillas   910
vienen ya dos negros pajes.

---

231 Di pronto lo que quieres de mí.
* Falta un verso para el romance, pero no para el sentido.
232 Y si quieres...
233 mesa de Guinea; mesa negra.

(*Entran dos enlutados con dos sillas*)

	¿También acá se usan lutos	
	y bayeticas de Flandes?	
D. Gonzalo.	Siéntate tú +.	
Catalinón.	Yo, señor,	
	he merendado esta tarde.	915
D. Gonzalo.	No repliques.	
Catalinón.	No replico.	
	Dios en paz de esto me saque.	
	¿Qué plato es éste, señor?	
D. Gonzalo.	Este plato es de alacranes	
	y víboras.	
Catalinón.	¡Gentil plato!	920
D. Gonzalo.	Estos son nuestros manjares.	
	¿No comes tú?	
Don Juan.	Comeré,	
	si me dieses áspid y áspides	
	cuantos el infierno tiene.	
D. Gonzalo.	También quiero que te canten.	925
Catalinón.	¿Qué vino beben acá?	
D. Gonzalo.	Pruébalo.	
Catalinón.	Hiel y vinagre	
	es este vino.	
D. Gonzalo.	Este vino	
	exprimen nuestros lagares.	

(*Cantan.*)

Adviertan los que de Dios 930
juzgan los castigos grandes,
que no hay plazo que no llegue
ni deuda que no se pague.

Catalinón.	¡Malo es esto, vive Cristo!	
	que he entendido este romance,	935
	y que con nosotros habla.	
Don Juan.	Un hielo el pecho me abrasa *.	

(*Cantan:*)

---

* 'abrasa' rompe la asonancia del romance.

DON JUAN: ¡Que me abraso, no me aprietes!
Con la daga he de matarte.
(Pág. 123.)

Mientras en el mundo viva,
no es justo que diga nadie:
¡qué largo me lo fiáis!   940
siendo tan breve el cobrarse.

CATALINÓN. ¿De qué es este guisadillo?

D. GONZALO. De uñas.

CATALINÓN.   De uñas de sastre
será, si es guisado de uñas [234].

DON JUAN. Ya he cenado; haz que levanten   945
la mesa.

D. GONZALO.   Dame esa mano;
no temas, la mano dame.

DON JUAN. ¿Eso dices? ¿Yo, temor?
¡Que me abraso! ¡No me abrases
con tu fuego!

D. GONZALO.   Este es poco   950
para el fuego que buscaste.
Las maravillas de Dios
son, don Juan, investigables [235],
y así quiere que tus culpas
a manos de un muerto pagues,   955
y si pagas de esta suerte,
esta es justicia de Dios *:
«quien tal hace, que tal pague» +.

DON JUAN. ¡Que me abraso, no me aprietes!
Con la daga he de matarte.   960
Mas ¡ay! que me canso en vano
de tirar golpes al aire.
A tu hija no ofendí,
que vio mis engaños antes.

D. GONZALO. No importa, que ya pusiste   965
tu intento.

DON JUAN.   Deja que llame
quien me confiese y absuelva.

---

234 Alusión a la rapacidad de los sastres.
235 investigables; ininvestigables.
* Falta un verso para el romance, pero no para el sentido.

D. GONZALO.	No hay lugar; ya acuerdas tarde.
DON JUAN.	¡Que me quemo! ¡Que me abraso!
	¡Muerto soy! *(Cae muerto.)*
CATALINÓN.	No hay quien se escape, 970
	que aquí tengo de morir
	también por acompañarte.
D. GONZALO.	Esta es justicia de Dios:
	«quien tal hace que tal pague».

(Húndese el sepulcro con DON JUAN *y* DON GONZALO, *con mucho ruido, y sale* CATALINÓN *arrastrando)*

CATALINÓN.	¡Válgame Dios! ¿Qué es aquesto? 975
	Toda la capilla se arde,
	y con el muerto he quedado
	para que le vele y guarde.
	Arrastrando como pueda
	iré a avisar a su padre. 980
	¡San Jorge, San *Agnus Dei,*
	sacadme en paz a la calle! *(Vase.)*

Sale el REY, DON DIEGO *y acompañamiento*

DON DIEGO.	Ya el marqués, señor, espera
	besar vuestros pies reales.
REY.	Entre luego y avisad 985
	al conde, porque no aguarde.

Sale BATRICIO *y* GASENO

BATRICIO.	¿Dónde, señor, se permite *
	desenvolturas tan grandes,
	que tus criados afrenten
	a los hombres miserables? 990
REY.	¿Qué dices?
BATRICIO.	Don Juan Tenorio,
	alevoso y detestable,
	la noche del casamiento,

---

* El autor pensaría: 'se permite que tus criados...'.

	antes que le consumase,	
	a mi mujer me quitó;	995
	testigos tengo delante.	

Sale TISBEA y ISABELA y *acompañamiento*

TISBEA.   Si vuestra alteza, señor,
de don Juan Tenorio no hace
justicia, a Dios y a los hombres,
mientras viva, he de quejarme.   1.000
Derrotado le echó el mar;
dile vida y hospedaje,
y pagóme esta amistad
con mentirme y engañarme
con nombre de mi marido.   1.005
REY.   ¿Qué dices?
ISABELA.   Dice verdades +.

Sale AMINTA y *el* DUQUE OCTAVIO

AMINTA.   ¿Adónde mi esposo está?
REY.   ¿Quién es?
AMINTA.   Pues ¿aun no lo sabe? +
El señor don Juan Tenorio,
con quien vengo a desposarme,   1.010
porque me debe el honor,
y es noble y no ha de negarme.
Manda que nos desposemos *.

Sale el MARQUÉS DE LA MOTA

MOTA.   Pues es tiempo, gran señor,
que a luz verdades se saquen,   1.015
sabrás que don Juan Tenorio
la culpa que me imputaste
tuvo él, pues como amigo,
pudo el crüel engañarme;
de que tengo dos testigos.   1.020
REY.   ¿Hay desvergüenza tan grande?
Prendedle y matadle luego *.

---

* Falta un verso para el romance, pero no para el sentido.
* Falta un verso para el romance, pero no para el sentido.

Don Diego.	En premio de mis servicios
	haz que le prendan y pague
	sus culpas, porque del cielo 1.025
	rayos contra mí no bajen,
	si es mi hijo tan malo.
Rey.	¡Esto mis privados hacen!

Sale Catalinón

Catalinón.	Señores, todos oíd +
	el suceso más notable 1.030
	que en el mundo ha sucedido,
	y en oyéndome, matadme.
	Don Juan, del comendador
	haciendo burla, una tarde,
	después de haberle quitado 1.035
	las dos prendas que más valen,
	tirando al bulto de piedra
	la barba por ultrajarle,
	a cenar le convidó:
	¡nunca fuera a convidarle! 1.040
	Fue el bulto y convidóle;
	y ahora porque no os canse,
	acabando de cenar,
	entre mil presagios graves,
	de la mano le tomó, 1.045
	y le aprieta hasta quitarle
	la vida, diciendo: «Dios
	me manda que así te mate +,
	castigando tus delitos.
	Quien tal hace que tal pague». 1.050
Rey.	¿Qué dices?
Catalinón.	Lo que es verdad,
	diciendo antes que acabase,
	que a doña Ana no debía
	honor, que lo oyeron antes
	del engaño.

MOTA.	Por las nuevas	1.055
	mil albricias pienso darte.	
REY.	¡Justo castigo del cielo!	
	Y ahora es bien que se casen	
	todos, pues la causa es muerta,	
	vida de tantos desastres.	1.060
OCTAVIO.	Pues ha enviudado Isabela,	
	quiero con ella casarme.	
MOTA.	Yo con mi prima +.	
BATRICIO.	Y nosotros	
	con las nuestras, porque acabe	
	El Convidado de piedra.	1.065
REY.	Y el sepulcro se traslade	
	en San Francisco en Madrid [236],	
	para memoria más grande.	

El Rey — se da cuenta de la verdad. Shows some conscience

A P E N D I C E   I

Variantes y correcciones interpoladas al texto de 1630

Acto I

v.	25	(ed. de 1630: 'prended'), corregimos de *C* (edición de Castro, Madrid, 1932).
v.	78	(ed. de 1630: falta 'con'), corregimos de la edición de 1649 (1652).
v.	154	(ed. de 1630: 'honor'), corregimos de *O* (edición de Ochoa, París, 1838).
v.	206	(ed. de 1630: 'pena'), corregimos de *H* (edición de Hartzenbusch, Madrid, 1848).
v.	213	(ed. de 1630: 'quieres'), corregimos de 1649.
v.	214	(ed. de 1630: falta 'ea'), corregimos de 1649.
v.	280	(ed. de 1630: 'soldos'), corregimos de *¿Tan Largo me lo fiáis?*
v.	281	(ed. de 1630: 'y'), corregimos de TL.
v.	356	(ed. de 1630: falta 'ya'), corregimos de 1649.
v.	403	(ed. de 1630: 'seguramente tengo'), corregimos de H.
v.	408	(ed. de 1630: 'y ya en'), corregimos de C.
v.	422	(ed. de 1630: 'o'), corregimos de O.
v.	438	(ed. de 1630: 'doto'), corregimos de H.
v.	447	(ed. de 1630: falta 'los'), corregimos de C.
v.	454	(ed. de 1630: 'le'), corregimos de H.
v.	481	(ed. de 1630: 'al'), corregimos de 1649.
v.	531	(ed. de 1630: 'de la'), corregimos de TL.
v.	535	(ed. de 1630: falta 'aun'), corregimos de TL.
vv.	537-38	(ed. de 1630: 'Ah, señor, helado está. / Señor, si está muerto;'), corregimos de TL.
v.	645	(ed. de 1630: 'di lo que'), corregimos de 1649.
v.	667	(ed. de 1630: 'y'), corregimos de C.
v.	676	(ed. de 1630: 'a ellos'), corregimos de 1649.
v.	685	(ed. de 1630: 'cazadora'), corregimos de TL.
v.	689	(ed. de 1630: falta el verso), corregimos de TL.
v.	705	(ed. de 1630: 'cielo'), corregimos de C.
v.	720	(ed. de 1630: falta 'yo'), corregimos de 1649.

v.	731	(ed. de 1630: 'cuarto'), corregimos de H.
v.	732	(ed. de 1630: 'está'), corregimos de 1649.
v.	753	(ed. de 1630: 'Jobregas'), corregimos de H.
v.	757	(ed. de 1630: 'contarlas'), corregimos de O.
v.	779	(ed. de 1630: 'Olivelas'), corregimos de C.
v.	784	(ed. de 1630: 'allí a'), corregimos de C.
v.	824	(ed. de 1630: 'el'), corregimos de O.
v.	840	(ed. de 1630: 'a el llegar'), corregimos de H.
v.	968	(ed. de 1630: falta 'en'), corregimos de C.
v.	1.005	(ed. de 1630: 'abrasados'), corregimos de C.

Acto II

v.	6	(ed. de 1630: falta 'es'), corregimos de H.
v.	62	(ed. de 1630: falta 'también'), corregimos de 1649.
v.	71	(ed. de 1630: 'verdad'), corregimos de TL.
v.	109	(ed. de 1630: 'dijera'), corregimos de H.
vv.	139-142	(ed. de 1630: pone 'descortés es fuerza ser' en boca de Don Juan y los vv. 140-142 en boca de Octavio), corregimos de TL.
v.	181	(ed. de 1630: falta este verso), corregimos de TL.
v.	182	(ed. de 1630: 'recente'), corregimos de C.
v.	245	(ed. de 1630: 'sigue los pasos'), corregimos de 1649.
v.	247	(ed. de 1630: 'ce, ce'), corregimos de 1649.
v.	273	(ed. de 1630: falta 'tal'), corregimos de TL.
v.	308	(ed. de 1630: falta este verso), corregimos de TL.
v.	321	(ed. de 1630: falta 'y'), corregimos de TL.
v.	328	(ed. de 1630: 'tiger'), corregimos de 1649.
v.	355	(ed. de 1630: 'brazos'), corregimos de TL.
vv.	465/468-69	(ed. de 1630: 'anda envuelto en portugués / mil Evas que, aunque en bocados, / en efeto, son ducados'), corregimos de TL.
v.	476	(ed. de 1630: 'ventana'), corregimos de TL.
v.	507	(ed. de 1630: falta este verso), corregimos de TL.
v.	531	(ed. de 1630: 'esta'), corregimos de 1649.
vv.	561-63	(ed. de 1630: 'porque quiero ir soío'), corregimos de TL.
vv.	593-94	(ed. de 1630: 'Gran señor: ¿vuestra alteza / a mí me manda prender / Llevadle luego y ponedle'), corregimos de TL.
v.	654	(ed. de 1630: falta este verso), corregimos de TL.
v.	663	(ed. de 1630: 'no es ese Don Juan'), corregimos de 1649.

«L'importanza capitale del *Burlador* sta nell'offrire riunite per la prima volta in un dramma le due parti distinte della leggenda, nell' aver delineato, oltre al carattere di Don Giovanni, titano indomabile, rapido, fulmineo nell'agire, dissoluto, senz'essere scellerato, spergiuro, benche cavallersco e prode, sprezzatore d'ogni legge umana e divina, eppure credente e, in fin di vita, smanioso di rappatumarsi con Dio...»

(A. FARINELLI, *Don Giovanni*, Milán, 1946, pág. 72.)

«Cesemos, por tanto, de tratar ligeramente la comedia de Tirso. Las exigencias de cultura y de adecuación de nuestra retina, muy rigurosas al acercarse a esta manera de arte, son aquí más indispensables que nunca. Ha de tomarse ante *El burlador* la necesaria distancia para percibir entre esos cuadros que vertiginosamente se suceden, la unidad profunda que los liga.»

(A. CASTRO, 'Prólogo', *Tirso de Molina*, Clásicos Castellanos, Madrid, 1932, XXVII.

TEMAS DE TRABAJO ESCOLAR

Los paralelos que sirven de eje a la estructura dramática de *El burlador*: los juramentos, las víctimas, la confirmación con las manos, etc.

Don Juan, el personaje, como entidad mítica; como caracterización humana, compleja, en la obra de Tirso.

La versificación de *El burlador de Sevilla*.

La caracterización de Tisbea y su relación con la elaboración irónica de égloga piscatoria.

El burlador como ejemplo de la crítica política de Tirso: privados, etc.

Aminta, Batricio y Gaseno como representaciones cómicas, entremesiles, de la vida rural.

El duque Octavio y el marqués de la Mota como personajes y su expresión del 'honor' en el teatro del Siglo de Oro.

El burlador de Sevilla, teatro teológico-religioso.

Don Juan   -Pero-   con otros
caballeros

(1) falso

(2) hipócrita

(3) miente

(4) débil

(5) engaño

(1) un hombre de
su palabra

(2) muesta
valor contra
D. Gonzalo -
no es cobarde.

(3) No tiene miedo
de Dio o la
muerte.

(4) Todos tienen un
parte de Don Juan

Catalinón - 3rd

(1) Consciencia de
Don Juan

(2) Una reacción muy
humana - muestra
miedo a la estatua
de D. Gonzalo.
bastante cómico.

Don Juan -
fríamente ↗